Der Tag der Bombe

Theodore Taylor

Der Tag der Bombe

Aus dem amerikanischen Englisch
von Thomas Merk

Mit einem Nachwort von Michael Kühn
Greenpeace e.V., Deutschland

Verlag Sauerländer
Aarau · Frankfurt am Main · Salzburg

Theodore Taylor
Der Tag der Bombe

Aus dem amerikanischen Englisch von Thomas Merk

Einbandgestaltung von Bozena Jankowska

Copyright © 1995 by Theodore Taylor
(Titel der amerikanischen Originalausgabe: *The Bomb*)
First published by Harcourt Brace & Company, San Diego, USA

Copyright © 1999 Text, Illustrationen und Ausstattung
by Verlag Sauerländer, Aarau, Frankfurt am Main und Salzburg

Printed in Germany

ISBN 3-7941-4485-6
Bestellnummer 01-04485-6

Die Deutsche Bibliothek – CIP-Einheitsaufnahme

Taylor, Theodore:
Der Tag der Bombe / Theodore Taylor. Aus dem amerikan. Engl. von
Thomas Merk. Mit einem Nachw. von Michael Kühn. – Aarau ;
Frankfurt am Main ; Salzburg : Sauerländer, 1999
Einheitssacht.: The bomb <dt.>
ISBN 3-7941-4485-6

In Liebe für Allyn Johnston,
den hervorragenden Herausgeber und guten Freund

Amazing grace! How sweet the sound
That saved a wretch like me!
I once was lost, but now am found
Was blind, but now I see.

John Newton, 1725–1807*

* John Newton hatte ein bewegtes Leben als Kapitän eines
Sklavenschiffes hinter sich, als er 1748 in die anglikanische
Kirche eintrat. Sechzehn Jahre später wurde er zum Priester
geweiht. Newton schrieb eine Autobiographie und theologi-
sche Werke sowie das weltberühmte Kirchenlied »Amazing
Grace«, das zu den meistgesungenen im englischen
Sprachraum zählt.

Der Schriftsteller H.G. Wells hat in seinem Roman *Befreite Welt* von 1914 bereits die Atombombe und den Atomkrieg vorhergesagt.

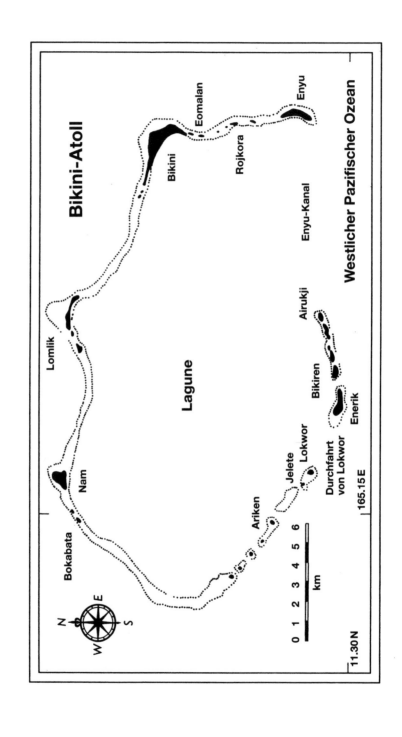

Bikini-Atoll

Westlicher Pazifischer Ozean

Lagune

Bokabata

Nam

Lomlik

Bikini

Eomalan

Rojkora

Enyu

Enyu-Kanal

Airukji

Bikiren

Enerik

Lokwor

Jelete

Ariken

Durchfahrt von Lokwor

165.15 E

11.30 N

0 1 2 3 4 5 6
km

N
E
S
W

Buch 1

Bikini

1

Kurz bevor der Hahn krähte, wurde Sorry Rinamu eines Morgens Ende März 1944 von einem wütenden Dröhnen am Himmel geweckt, lauter als jedes Donnergrollen. Es war so nahe wie die Wipfel der Palmen. Und es bewegte sich rasch. Es hatte keine Vorwarnung gegeben. Nur vollkommene Stille, und dann auf einmal dieses tief tönende Brummen am Himmel.

Erschrocken sprang Sorry von seiner Schlafmatte hoch und rannte hinaus. Wie jeden Tag – und jede Nacht – trug Sorry seine von der Sonne ausgebleichten Shorts, die seine Mutter aus dem Stoff von leeren Reissäcken genäht hatte.

Wie aufgeschreckte Gänse rannten Sorrys Mutter und seine jüngere Schwester hinter ihm aus dem Haus und wären sich fast gegenseitig über die Füße gestolpert. Auch Tara Malolo, die Lehrerin, die in dieser Woche bei ihnen wohnte, kam heraus, gefolgt von Sorrys Großeltern. Aus anderen Häusern des Dorfes, die ebenfalls am Wasser lagen, war das Schreien und Weinen der *ajiri*, der kleinen Kinder, zu hören. Sie alle hatten tief und fest geschlafen, umgeben vom altgewohnten Schlummerlied der Brandung und dem freundlichen Rascheln der Palmwedel.

Im flauen, grauen Licht des Morgens sah Sorry, wie draußen über der Lagune acht blaue Flugzeuge eine Kurve flogen, eines hinter dem andern, wie ein Schwarm Pelikane. Dann kamen sie zurück und rasten so knapp über die Strohhütten hinweg, dass Sorry die Köpfe der Piloten in den offenen Cock-

13

pits sehen konnte. Der Motorenlärm schwoll wieder an. Einen Augenblick lang flogen die Flugzeuge den Strand entlang und als sie dann über dem Nordteil der Insel einschwenkten, glaubte Sorry schon, sie würden jetzt ihre Bomben abwerfen, die Hütten zerstören und alle töten.

Sorrys Schwester Lokileni dachte wohl dasselbe. Sie stand da in ihrem verwaschenen Baumwollnachthemd und schrie. Ihr schlanker Körper zitterte und die Augen hatte sie fest geschlossen, als wolle sie so den Tod abwehren.

Ruta Rinamu, Sorrys *jinen* – was Mutter heißt – ließ sich im Sand auf die Knie fallen. Sie berührte mit den Fingerspitzen ihr Kinn und begann mit geschlossenen Augen zu beten.

Sorry stockte der Atem. Vor lauter Angst hatte er die Augen weit aufgerissen. *Bitte, tötet uns nicht!*

Jonjen stand neben ihm und starrte die Flugzeuge an, als könne er mit seinem Blick die bösen Geier verjagen. Jonjen war Sorrys *jimman*, sein Großvater. Er schien keine Angst zu haben.

Sorrys Großmutter Yolo hielt sich die Hand vor ihre alten Augen. Die *jibun* hatte Angst vor Gespenstern und sagte nur selten etwas, denn sie lebte mit den Geistern des Windes, der Gezeiten, des Regens und der Fische. Ihre Haut sah aus wie zerknittertes, braunes Papier.

Schweigend und mit einem breiten Stirnrunzeln starrte Tara Malolo hinauf zu den Flugzeugen.

Die anderen Dorfbewohner hatten ebenfalls ihre Hütten verlassen und standen oder knieten in kleinen Gruppen am Strand. *Verschreckt. Versteinert. Schreiend. Betend.*

Im Tiefflug setzen die Maschinen zum Angriff an. Die ersten beiden feuerten mit ihren Maschinengewehren auf die japanische Wetterstation, die nördlich des Dorfes lag.

Sie flogen so knapp über den Pandanus- und Kokospalmen hinweg, dass ihre Wipfel zu zittern begannen. Sorry sah, wie die Flammen aus den Auspüffen schlugen, und spürte ihre heißen Abgase. Wo auch immer die Weißen auftauchten, gab es Feuer und Explosionen.

Die freilaufenden Schweine des Dorfes rannten laut quiekend im Kreis herum, die Hühner gackerten aufgeregt und die sechs Hunde der Insel verkrochen sich vor dem Lärm unter den kleinen Kochhütten neben den Häusern.

Sorry hielt sich die Ohren zu, die Augen aber behielt er offen. Großvater Jonjen war es schließlich, der die Sturzkampfbomber identifizierte. »Amiricaans, Amiricaans! ...«, rief er glücklich. Die Flugzeuge trugen weiße Sterne an den Seiten und nicht den roten Kreis der Japaner.

Tara sprang vor Freude auf und ab und klatschte dabei in die Hände.

Als das Dröhnen der Flugzeugmotoren langsam leiser wurde, breitete sich der freudige Ruf »Amiricaans« über den ganzen Strand aus. Die Leute lachten, fielen sich in die Arme und waren ganz aus dem Häuschen. Sogar die verwirrten *ajiri* lächelten auf einmal und wussten nicht weshalb.

Ein paar der amerikanischen Marineflieger hatten ihnen aus ihren Cockpits heraus zugewunken und einer hatte mit zwei Fingern seiner Hand ein V geformt. Die Geste bedeutete soviel wie »Victory« – Sieg – und war den Inselbewohner bisher unbekannt gewesen.

Amerikaner! Weiße Männer aus dem Osten. Soldaten. Vielleicht bedeutete das, dass das Bikini-Atoll, das nördlichste der Ralik-Kette und 3500 Kilometer südwestlich von Hawaii gelegen, bald frei von japanischer Besatzung sein würde.

Das Atoll bestand aus sechsundzwanzig Inseln und Inselchen, von denen die größeren mit Pandanus- und Kokospalmen bewachsen waren. Sie waren Teil eines Korallenriffs, das eine ovale Lagune umgab. Bikini, die größte und schönste der Inseln, war sechseinhalb Kilometer lang und nicht einmal einen Kilometer breit. Alle Mitglieder der Familie Rinamu waren hier zur Welt gekommen, und nur Badina Rinamu, Sorrys verstorbener Vater, und sein Großvater Jonjen hatten sich jemals aus der Lagune hinausgewagt. Auch Sorry hoffte, dass er eines Tages nach *ailiñkan* – so nannte man hier die Welt außerhalb der Inseln – segeln würde.

In fünf Tagen würde er vierzehn Jahre alt und damit nach altem Inselbrauch bei einem großen Familienfest offiziell zum Mann erklärt werden. Schon jetzt war er derjenige, der das meiste Essen herbeischaffte. Nach der Zeremonie würde er das Oberhaupt der Familie werden und Großvater Jonjen ablösen, der diese Stellung seit dem Tod von Badina Rinamu vor vier Jahren inne hatte. Dann würde er auch als *alab* der Familie die Rinamus im Dorfrat repräsentieren, wobei Jonjen ihm als Berater zur Seite stehen würde.

Für Sorry hätte es gar kein schöneres vorgezogenes Geburtstagsgeschenk geben können als das Dröhnen der Flugzeuge, das Winken der Piloten, das Rattern der Maschinengewehre. Jetzt, wo Lokilenis Angst verflogen war, fragte sie: »Befreien die uns von den Japanern?«

Manchmal verlangten die japanischen Soldaten auf der Insel nach jungen Mädchen für ihr Vergnügen. Lokileni war zwar erst elf, doch wenn die Soldaten zu viel Bier oder Palmwein getrunken hatten, war auch sie in Gefahr. Sie hatte also allen Grund sie zu fürchten und Sorry hatte allen Grund auf seine Schwester aufzupassen.

»Ich weiß nicht«, sagte er während sich die Gedanken in seinem Kopf überschlugen. »Hoffen wir es.«

Als der Lärm der Motoren verklungen war und die Flugzeuge nur noch kleine Punkte am westlichen Himmel waren, blickte Sorry den Strand hinauf zur japanischen Wetterstation, die mit ihrer großen Radioantenne auf dem Dach das Ziel des Maschinengewehrfeuers gewesen war.

Die japanischen Soldaten standen vor dem grauen Holzgebäude und sahen den Flugzeugen hinterher. Der zweite Jagdbomber hatte einen der Japaner getötet. Die anderen plapperten so aufgeregt, dass Sorry sie von weitem hören konnte.

Alle im Dorf hassten die Japaner. Sie lächelten nie. Sie waren niemals höflich. Die Inselbewohner nannten ihr niedriges, geducktes Holzhaus *mwen ekamijak*, »Haus des Schreckens«. Einmal, vor etwa einem Jahr, hatte der Feldwebel, der die Japaner kommandierte, behauptet, Sorry habe ihn beleidigt. Sorry hatte gelacht, als der Feldwebel gestolpert und in den Sand gefallen war. Sorry hatte daraufhin tausend Verbeugungen auf der Schwelle des *mwen ekamijak* machen müssen, die ein Soldat, das Gewehr im Anschlag, genau gezählt hatte.

Um zu beweisen, dass er kein Feigling war, hatte Sorry am Abend dieses Tages mit der Familienaxt in der Hand in der Nähe des Japanerhauses auf den Feldwebel gewartet, aber der war nicht herausgekommen. Irgendwann hatte Sorry dann aufgegeben und war nach Hause gegangen.

Ab und zu hatte er mitbekommen, wie die Älteren davon sprachen, die Soldaten umzubringen. Es waren ganz ernsthafte Gespräche gewesen und Sorry hatte sich daran beteiligt. Er war bereit gewesen die Soldaten mit seiner Axt in Stücke zu hauen. Aber der freundliche Häuptling Juda hatte davon nichts wissen wollen. Der *iroij*, der ein Nachkomme der berühmten Larkelon war, dereinst höchster Häuptling der gesamten Ralik-Kette, hatte zu bedenken gegeben, dass in diesem Fall vom japanischen Stützpunkt auf der 400 Kilometer entfernten Insel Kwajalein viele weitere Soldaten kommen und alle Männer, Frauen und Kinder auf Bikini erschießen würden. Sie würden keine Gnade walten lassen.

Jonjen hatte Juda Recht gegeben. »Wenn die japanischen Soldaten zwei oder drei Tage lang keine Wettermeldungen an ihre Basis durchgeben, dann schickt man von dort ein Wasserflugzeug um herauszufinden, was passiert ist.«

»Können wir denn wirklich nichts tun?«, hatte Sorry gefragt und gewünscht, dass sein Vater noch am Leben wäre. Der hätte bestimmt gekämpft.

»Gar nichts«, hatte sein Großvater geantwortet.

Bis zu dem Tag im Jahr 1942, an dem die Japaner die Inseln besetzten und die Einfahrt zur Lagune verminten, hatte auf dem Atoll über 100 Jahre lang Frieden geherrscht. Niemand hier besaß eine Schusswaffe. Bevor die Japaner hier aufgetaucht waren, hatte Sorry noch nie ein Gewehr zu Gesicht bekommen. Bis dahin waren die einzigen feindlichen Wesen zu Lande Fliegen, Skorpione und Ratten gewesen.

Nachrichten von der Welt außerhalb der Lagune waren allerdings schon bis zu ihnen gedrungen. Nachrichten, die wie Zugvögel von einem einsamen Atoll zum nächsten gereist waren. Wenn Auslegerboote von den anderen Atollen oder, was selten vorkam, richtige Schiffe Bikini anliefen, fuhren sie durch den Enyu-Kanal, eine breite Öffnung zwischen den Inseln Enyu und Airukji, in die Lagune ein. Die Schiffe ankerten dann ein paar hundert Meter weit draußen auf dem Wasser, aber die Auslegerboote kamen direkt bis an den Strand. Zwei oder drei Tage lang wurden dann Feste gefeiert und mit den Fremden Neuigkeiten über *ailiñkan* ausgetauscht, bevor sich die Besucher wieder auf den Weg machten. Wenn sie fort waren, sprach man noch lange über das, was sie berichtet hatten, und machte sich seine Gedanken darüber. Sorry hatte bei solchen Gelegenheiten immer aufmerksam zugehört.

Ansonsten tat sich auf Bikini nicht allzu viel. Die Sonne ging auf und wieder unter. Man holte sich Nahrung von den Palmen und aus dem Meer, machte Matten und Körbe und

Wände und Dächer und Schnur und man redete. Man sprach über die Fische, das Wetter und über die Nachbarn. Der Wind raschelte in den Palmen, die Schweine wühlten in der Erde, die Hühner rannten umher und pickten. Alles war ruhig und friedlich – bis zu dem Tag, als die Japaner kamen.

»Warum sind sie bloß hergekommen?«, hatte Sorry einmal voller Wut gefragt.

»Weil für Schiffe und Flugzeuge das Wetter immer wichtig ist«, hatte Jonjen geantwortet.

Bisher hatte Sorrys Familie in einer ihm vollkommen vertrauten Welt gelebt und gearbeitet, gelacht, gesungen und gebetet. Ganz so, als gäbe es keinen Krieg und als würde die Welt am Eingang zur Lagune aufhören zu existieren. Dann, auf einmal, waren sie zu Gefangenen geworden. Man behandelte sie, als wären sie faul und einfältig, wie Halbaffen. Die Japaner brauchten es gar nicht auszusprechen, es stand ihnen ins Gesicht geschrieben: Ihr seid minderwertig. *Ihr seid uns unterlegen.*

»Ist das im Krieg immer so?«, hatte Sorry gefragt.

»Ich glaube, ja. Immer müssen unschuldige Menschen leiden«, hatte Tara Malolo geantwortet.

Zusammen mit den anderen hatte Sorry in den vergangenen beiden Jahren mit ansehen müssen, wie die Soldaten ihnen Kokosnüsse, Pandanusfrüchte, Eingemachtes und Taro – eine stärkehaltige Knolle – sowie Fische und Meeresfrüchte weggenommen hatten. Waren zum Beispiel am Riff zwölf Hummer gefangen worden, dann hatten die Japaner sechs davon für sich verlangt.

Großvater Jonjen mit seinem faltigen Gesicht und seinem Krummstock, der als Gottesmann des Dorfes fast immer eine Bibel in der Sprache der Marshallinseln bei sich hatte, sagte bei solchen Gelegenheiten: »Die Palmen flüstern in einem fort ›Frieden‹, aber die Soldaten hören einfach nicht hin.«

Das einzig Gute, das die Japaner nach Sorrys Empfinden der Insel gebracht hatten, waren die Zisternen aus Beton, die das kostbare Regenwasser speicherten, nachdem es mit großen Wellblechstücken aufgefangen wurde.

Sorry wusste nicht, wie lange er seine Wut noch zurückhalten konnte. Aber eines wusste er genau: Wenn einer der Soldaten Lokileni vergewaltigen würde, dann würde er mit der Axt Rache nehmen, ganz egal, was sie danach mit ihm machen würden.

In den zwanziger Jahren des zwanzigsten Jahrhunderts eröffnete sich der Wissenschaft ein neues Betätigungsfeld:
die Erforschung des Atomkerns.

2

Das ganze *mabun* – Frühstück – über musste Sorry an die Flugzeuge denken und an den Lärm, den sie gemacht hatten. Wie es die Tradition der Insel vorschrieb, saßen Männer und Frauen bei den Mahlzeiten getrennt voneinander: Sorry hockte mit seinem Großvater etwa zwei Meter von Mutter, Großmutter, Lokileni und Tara entfernt. Draußen, auf dem ruhigen Wasser der Lagune, glitzerte das erste Morgenlicht. Die sechsundzwanzig Hütten des Dorfes standen weit verstreut entlang der einzigen, aus rotem Korallenkies bestehenden Straße im Inneren der Insel. Die elf Großfamilien, denen sie gehörten, verbrachten ihr Leben hauptsächlich im Freien und nutzten ihre aus Pandanus-Blättern bestehenden Hütten mit den spitzen Dächern und den beweglichen Wänden fast nur zum Schlafen. Bei Wind oder Regen konnte man verzierte Matten vor den Fensteröffnungen herunterlassen. Das monotone Lied des Regens, der auf die Blätter des Daches fiel, hatte Sorry in so mancher Sommernacht in den Schlaf gesungen.

Jede Großfamilie besaß eine kleine Kochhütte, die gerade so groß war, dass man darin die Arme ausbreiten konnte. Hier konnte jedermann gerne vorbeikommen und mitessen, was es gerade gab.

Zum Frühstück gab es immer die Reste des Abendessens vom Vortag. Meistens waren das Fisch, Tarowurzeln, Kokosnuss, Oktopus oder Venusmuscheln. Sorry und Lokileni mochten zum Frühstück besonders gerne *jekaro*, einen süßen

Saft, der aus den Stängeln abgebrochener Palmblüten rann.

»Ich weiß noch immer nicht, warum die Japaner und die Amerikaner überhaupt gegeneinander kämpfen«, sagte Sorry, während er von seinem *jekaro* trank.

»Das weiß ich auch nicht«, erwiderte seine Mutter. »Aber irgendjemand da draußen muss wohl immer kämpfen.«

»Es geht dabei immer um Land und Geld«, fügte Jonjen feierlich hinzu.

»Aber das kann doch nicht alles sein«, sagte Sorry und sah hinüber zu seinem Großvater. Obwohl Jonjens Wangen eingefallen waren und er fast keine Zähne mehr im Mund hatte, verfügte er noch immer über einen scharfen Verstand.

Geld war den Bewohnern von Bikini nicht wichtig. Es gab einfach keine Gelegenheit um es auszugeben. Das einzige Geld, das sie hatten, bekamen sie für Kopra, das in der Sonne getrocknete Fruchtfleisch der Kokosnüsse, die auf ihren etwa zwanzigtausend Palmen wuchsen. Dafür hatte man ihnen erst deutsche Reichsmark und dann japanische Yen gegeben. Zweimal im Jahr lief ein kleines Dampfschiff mit einem Händler die Insel an, der die Kopra gegen Tauschwaren oder Geld abholte. Das Geld gaben die Leute von Bikini für Kleiderstoffe, Segeltuch, Werkzeuge oder andere Utensilien aus. Eine Einkaufsfahrt mit dem Kanu konnte sich über mehrere Wochen hinziehen.

Zählte man nur den Besitz, dann war Jibiji Ijjirik der wohlhabendste Mann auf ganz Bikini. Seine Familie besaß sogar eine handgetriebene Nähmaschine. Die Familie Rinamus hatte sich von ihrem Anteil an der gemeinsamen Kopraernte des Dorfes immerhin schon eine hölzerne Kommode und eine Axt angeschafft.

»Land und Geld«, wiederholte Jonjen und nickte. »Überall geht es um Land und Geld.«

Die elf Großfamilien besaßen Teile von allen größeren Inseln des Atolls. Für die Bewohner von Bikini war Land das Allerwichtigste, auch wenn es eigentlich dem *iroij lablab* gehörte, dem Oberhäuptling, der nicht einmal auf dem Atoll lebte. Der Name des gegenwärtigen Oberhäuptlings war Jeimata. Besaß eine Familie nicht wenigstens ein kleines Stückchen Land, und sei es auf einer anderen Insel, so genoß sie keinerlei Ansehen. Die Familie von Badina Rinamu besaß Land auf Lomlik und auf Bukor.

Außer den Rinamus gab es auf Bikini noch die Großfamilien Ijjirik, Kejibuki und Makaoliej. Sie behandelten sich alle als *nuky*, als Verwandte.

Sorry dachte noch immer über die Amerikaner nach. »Wenn die Amerikaner kommen, sind wir dann wieder Gefangene wie bei den Japanern?«, fragte er seinen Großvater.

»Wir sind noch kleiner als die Ameisen und leicht zu zertreten«, antwortete Jonjen, von dem man nur selten ein klares »Ja« oder »Nein« erhielt. Meistens sagte er »Vielleicht«.

Bis auf die Piloten in den Flugzeugen hatte Sorry noch nie einen Amerikaner zu Gesicht bekommen und deshalb konnte er nicht sagen, ob sie grausam oder freundlich waren. Tara allerdings behauptete, dass sie normalerweise freundlich seien.

Sorrys Mutter sagte: »Wer weiß, vielleicht interessieren sich die Amerikaner ja gar nicht für die Marshallinseln. Vielleicht geben sie uns die Freiheit, wenn sie den Krieg gewinnen. Das hoffe ich wenigstens.«

Jonjen aß ein dickes Stück verkohlten Thunfisch und sagte dann: »Erinnerst du dich noch daran was ich dir von der Zeit der Walfänger erzählt habe, Sorry? Das war vor vielen, vielen Jahren, nach den Spaniern und vor den Deutschen, und damals waren auch wir nicht besonders friedliebend. Unsere Krieger sind in ihren Kanus auf die Lagune hinausgefahren und haben die Schiffe überfallen, die dort vor Anker lagen, und jeden Weißen umgebracht, der an unseren Strand kam. Damals wurde viel Blut vergossen.«

Wie alle alten Männer auf Bikini war Großvater Jonjen eine Art lebendes Geschichtsbuch. Mit seinen fünfundsiebzig Jahren war er nach dem achtzigjährigen Lokwiar der zweitälteste Inselbewohner.

Am Anfang der Zeit, so erzählte er, habe es auf der Ralik-Gruppe sieben Familien gegeben, die alle vom Namu-Atoll stammten. Diese hatten mit den ersten Familien auf der Ratak-Gruppe schlimme Kriege ausgefochten. Die mit Stirnbändern geschmückten Krieger hatten in fünfzehn Meter langen Kanus mit Äxten, die sie aus der Sägezahnmuschel *tridacna* gefertigt hatten, gegeneinander gekämpft. Viele von ihnen waren dabei getötet worden.

Während Jonjen sprach, ging der stämmige, übel gelaunte Feldwebel von der Wetterstation an ihnen vorbei. Er trug eine Nickelbrille und würdigte die Familie keines Blickes. Neben ihm stapfte ein zweiter Soldat mit einem Gewehr.

Das war nichts Besonderes. Wo die Japaner auch hingingen, immer hatten sie ein Gewehr dabei. Auch wenn sie es nicht direkt auf die Dorfbewohner richteten, war es doch immer eine stumme Bedrohung.

Die Japaner steuerten das Haus von Häuptling Juda an. Immer, wenn sie den Strand heraufkamen, gingen sie zu Juda um ihm irgendwelche Befehle zu erteilen. In Sorrys Augen war der Häuptling viel zu freundlich und nachgiebig.

Sorry starrte den Soldaten hinterher und überlegte: *Was wollen die denn jetzt wohl wieder?* Dann stand er auf und schüttelte verärgert den Kopf.

Sorry war noch nicht ganz einen Meter fünfzig groß. Er hatte dunkelbraune Haut und lockige, braune Haare. Von der Figur her sah er seinem verstorbenen Vater sehr ähnlich, der ebenfalls klein und untersetzt gewesen war, aber über eine ruhige Kraft verfügt hatte. Alles Muskeln, kein Gramm Fett ... Niemand konnte sich erklären, wie Badina draußen auf dem Wasser umgekommen war. Sorry machte dieses Rätsel oft schwer zu schaffen.

Es dauerte nicht lange, bis Sorry erfuhr, was die Soldaten diesmal angeordnet hatten: Nach Einbruch der Dunkelheit darf nicht mehr am Strand gekocht werden und niemand darf sich dort aufhalten. Und Häuptling Juda durfte nicht mehr seine Petroleumlampe anzünden, die ein Symbol seines Ranges war.

Aus Angst vor einer Invasion verlangten die Japaner die totale Verdunkelung der Insel. Sie sollte in der Schwärze der Nacht verschwinden.

»Wir müssen Ruhe bewahren«, meinte Tara Malolo.

Im September 1933 kam dem jungen jüdisch-ungarischen Physiker Leo Szilard der Gedanke, dass man mit Hilfe der nuklearen Kettenreaktion möglicherweise eine Atombombe konstruieren könnte.

3

Sorry erinnerte sich noch gut an seinen ersten Schultag bei Tara Malolo. Im Versammlungshaus, dessen einziger Raum auch als Klassenzimmer diente, hatte sie auf einem Hocker aus einem Stück Palmenstamm gesessen und gelächelt. »Guten Morgen. Ich heiße Tara Malolo und ich bin eine von euch. Ich wurde auf Rongelap geboren, bin vierundzwanzig Jahre alt und wenn es Gott gefällt, dann werde ich die nächsten Jahre eure Lehrerin sein.«

Tara hatte auf dem Missionskolleg in Majuro studiert, das von Hawaii aus finanziert wurde, und sprach genügend Englisch um sich mit Fremden unterhalten zu können. Sie hatte glatte, dunkle Haare, volle Lippen und ein bezauberndes Lächeln. Ihre Haut hatte die Farbe von eingeöltem Mahagoni. Tara trug immer eine Blume in ihrem langen, glänzenden Haar und ihre Baumwollkleider aus Hawaii waren mit bunten Blumenmustern bedruckt. Obwohl sie die schönste Frau der Insel war, ließen sie die Japaner in Ruhe. Sie respektierten sie als Lehrerin und behandelten sie sogar mit einer Höflichkeit, die sie sonst niemandem zuteil werden ließen.

Tara Malolo hatte Samen aus Majuro mitgebracht – roten und gelben Hibiskus, rosa Bougainville und Oleander sowie Mango- und Korallenbaum. Sie pflegte die kleinen Pflänzchen hingebungsvoll und goß sie in der Trockenzeit hin und wieder sogar mit Kokosmilch, damit sie ebenso prächtig gediehen wie sie selbst.

Das Missionskolleg hatte Tara mit Büchern über Geographie,

Geschichte, Rechtschreibung und Rechnen ausgestattet, die in der Sprache der Marshallinseln geschrieben waren. Außerdem hatte sie einen Weltatlas, eine Wandtafel und einen Vorrat an Kreide bekommen. Als Tara mit einem Handelsschiff auf Bikini angekommen war, hatte im mittleren Pazifik noch Frieden geherrscht. Auf der Insel hatte Tara keine feste Bleibe, sondern wohnte jede Woche bei einer anderen Familie, sodass niemand auf die anderen eifersüchtig werden konnte.

Am ersten Schultag – es war ein typischer Wintertag auf Bikini gewesen: sonnig, windig und heiß – hatte Sorry zusammen mit den anderen dreizehn Schülern der Vormittagsklasse auf einer Pandanusmatte im Sand gesessen. Seine Altersgruppe hatte montags, mittwochs und freitags Unterricht, während die Jüngeren am Dienstag, Donnerstag und Samstag dran waren. Sorrys Klasse hatte von acht bis zwölf Uhr Unterricht, der jedoch hin und wieder unterbrochen wurde, wenn die Kinder beim Fischen mit dem Netz in der Lagune mithelfen mussten.

In Taras erstem Unterrichtsjahr hatten die Erwachsenen häufig ihre Köpfe durch die Fensteröffnungen in den Mattenwänden gesteckt und Tara Malolo zugehört. Das fanden sie interessanter, als ihre Arbeit zu tun. Tara nannte es eine andere Art der Schule, in der es keine Noten und keine Hausaufgaben gab und an der jeder teilnehmen konnte.

An jenem ersten Schultag im November 1941 hatte sie die Kinder gefragt: »Wer von euch weiß denn etwas über die Geschichte von Mikronesien und den Marshallinseln, zu denen auch Bikini gehört?«

Mikronesien kommt aus dem Griechischen und bedeutet »kleine Inseln«. Ein passender Name, denn mehr als zweitausend davon verteilen sich hier auf ein Gebiet von fast acht Millionen Quadratkilometern im Pazifischen Ozean.

Sorry hatte sich damals als Erster gemeldet. »Ich weiß nur

das, was mir mein Vater und mein Großvater beigebracht haben.«

»Nun, ich weiß nicht, was sie dir erzählt haben, und deshalb kann es sein, dass ich jetzt einiges davon wiederhole. Sollte ich aber etwas gänzlich anderes erzählen als sie, dann musst du es mir sagen und wir werden darüber reden.«

Sorry hatte genickt.

Von Großvater Jonjen wusste er, dass es drei Arten von Inseln in Mikronesien gab: Flache Atolle, die kaum aus dem Meer ragen, wie beispielsweise Bikini, erhöhte Atolle, die von vulkanischen Kräfte nach oben gedrückt worden waren und über bis zu sechzig Meter hoch aufragende Sandhügel verfügten, und hohe Inseln mit zerklüfteten, grünen Bergen wie Guam, Palau und Kosrae.

Die Riffe von Bikini umgrenzten eine blau und jadegrün schimmernde Lagune, die von Ost nach West 38 Kilometer und von Nord nach Süd 24 Kilometer maß. Weil die Inseln des Atolls so niedrig waren, konnte Sorry sie vom Strand aus nicht sehen. Erst wenn er mit einem Auslegerkanu in die Mitte der Lagune fuhr, konnte er am Horizont die Wipfel ihrer Palmen ausmachen. Auf der dem Wind zugewandten Seite wurden die Ränder des Barriereriffs vom warmen Pazifik umspült und wenn nicht gerade ein Sommersturm tobte, war das Wasser der Lagune sogar noch wärmer und vergleichsweise ruhig.

Tara hatte damals eine große Landkarte aufgehängt, die den gesamten Pazifikraum darstellte, und gesagt: »Vor vielen tausend Jahren mussten Menschen aus Indonesien – auf der Karte ist das hier – vor den aus Asien kommenden malayischen Kriegern fliehen und begannen, Australien und Neuguinea zu besiedeln. Erst sehr viel später, so etwa um 1500 vor Christus, erreichten andere Menschen, die ebenfalls den Pazifik überquerten, unsere Inseln, die Marshallinseln.«

»Und wo sind wir auf dieser Karte?«, hatte Kilon Calep wissen wollen, der aus der Großfamilie von Shem Makaoliej stammte.

»Der Marshall-Archipel liegt hier oben«, hatte Tara erklärt. »Aber erst einmal will ich euch erzählen, wie wir überhaupt hierher gekommen sind. Oder zumindest, was einige Historiker darüber denken. Sie glauben nämlich, dass wir eine Mischung aus Indonesiern und der dunkelhäutigen Bevölkerung von Neuguinea und der Salomoninseln sind – und die liegen auf der Karte hier. In Neuguinea haben viele Männer krause Haare, so wie unsere Männer auch. Es könnte also durchaus stimmen, dass in unseren Adern das Blut dieser Menschen fließt. Unsere Vorfahren sind im Laufe der Zeit mit ihren Auslegerkanus immer weiter nach Osten gewandert, von einer Insel zur nächsten. Und jetzt seht genau her. Mikronesien liegt etwa auf derselben geographischen Breite wie Thailand, die Philippinen, Mittelamerika und der Sudan in Afrika. Deshalb ist es hier so heiß und deshalb wachsen auch die Palmen hier.«

»Gibt es in Afrika denn auch Palmen?«, hatte Sorry gefragt. Tara hatte gelächelt. »Ich bin Afrika zwar noch nicht näher gekommen als bis Majuro, aber ich denke schon, dass es dort Palmen gibt. Wenn ihr noch einmal hier auf die Karte schaut, dann könnt ihr feststellen, dass unsere Inseln südlich von Japan und nördlich von Neuguinea liegen. Mikronesien ist fast so groß wie die Vereinigten Staaten von Amerika, besteht aber zum größten Teil aus Wasser. Es gibt fünfundneunzig große Atolle und größere Inseln, auf denen etwa fünfundvierzig- bis fünfzigtausend Menschen leben –«

»Zählen wir da auch dazu?«, hatte Tomaki Kejibuki aus der Großfamilie von Uraki Ijjirik gefragt.

»Ja, wir gehören auch dazu«, hatte Tara geantwortet. »Und jetzt zu euch. Wie seid ihr denn nach Bikini gekommen?«

Sorry hatte sich wieder gemeldet. »Großvater Jonjen hat erzählt, dass unsere Vorfahren vor etwa hundertfünfzig Jahren aus Wotje eingewandert sind. Das gehört zur Ratak-Gruppe.«

»Ich glaube, da hat dein Großvater Recht. Nur bei dem Datum bin ich mir nicht sicher. Soviel ich gelesen habe, ist Bikini bereits seit dem achtzehnten Jahrhundert bewohnt. Vielleicht sogar schon länger.«

»Sind wir denn Feiglinge?«, hatte Sorry gefragt.

Ihm war eingefallen, dass sein Vater einmal gemeint hatte, die Menschen von Bikini hätten jeglichen Kampfgeist verloren.

Daraufhin hatte Tara gelacht und geantwortet: »Nein, das glaube ich nicht. Wir sind eben höfliche Leute, das ist alles. Ich denke nicht, dass wir Feiglinge sind.«

»Mein Großvater hat erzählt, dass wir früher einmal die Weißen umgebracht haben.«

»Auch damit hat er Recht. Aber Gott sei Dank sind diese Zeiten vorbei.«

An diesem Tag hatte sich Sorry in Tara Malolo verliebt. Ihr Lachen war so melodisch und, was noch mehr zählte, sie kannte sich in *ailiñkan* aus.

Kaum zwei Wochen nach dieser ersten Unterrichtsstunde griffen die Japaner Pearl Harbour auf Hawaii an und im ganzen Pazifikraum brach der Krieg aus.

Im Jahr 1934 spaltete der italienische Physiker Enrico Fermi das Uranatom und erzeugte damit eine kurze Kettenreaktion. Es war der erste Schritt hin zum Bau der Atombombe.

4

Drei Tage, nachdem die amerikanischen Flugzeuge über die Insel geflogen waren, rief Sorry, der noch vor Tagesanbruch zum Fischen hinausgefahren war, in die frühmorgendliche Stille hinein:»Schiffe! Schiffe!«

Großvater Jonjen, der nie lange schlief, blies heftig in seine geliebte rosa Schneckenmuschel, die größte, die man jemals auf dem Atoll gefunden hatte. Ihr hohl klingendes *Ahuu! Ahuu! Ahuu!* galt seit den Zeiten der alten Krieger als ein Warnsignal.

Wieder stolperten alle schlaftrunken aus ihren Hütten.

Ein drei viertel voller Mond tauchte die Lagune in sanftes Silber und Sorry konnte in seinem Licht die geisterhaften Umrisse von zwei großen und einem kleineren Schiff erkennen, die etwa eineinhalb Kilometer vom Strand entfernt vor Anker lagen. Am vergangenen Abend waren sie noch nicht da gewesen. Sie hatten keine Positionslichter gesetzt. Sorry vermutete, dass es Kriegsschiffe waren.

Kurz darauf wurden mit einem lauten Geräusch Motoren angeworfen, und vier kleine, dunkle Schatten, die jeweils hundert Meter voneinander entfernt waren, steuerten langsam auf die Insel zu. Einen Augenblick lang ging Sorry durch den Sinn, dass es sich dabei um japanische Boote handeln könnte, die Verstärkung für die Soldaten in der Wetterstation brachten. Und das würde noch mehr Probleme bedeuten. Mehr Grausamkeiten. Mehr Gefahr.

Auch Jonjen spähte angestrengt in die Dunkelheit und sagte

mit banger Stimme: »Oh, ich hoffe, dass das Amerikaner sind. Ich hoffe. Ich hoffe ...«

Seine Worte klangen wie ein Gebet. Das Wort »hoffen« hörte man oft auf Bikini. Die Menschen *hofften* auf Regen. Sie *hofften* darauf, dass die Palmen viele Früchte trugen, dass der Thunfisch kam und dass es viel Kopra geben würde.

Als die Boote näher kamen, rief Häuptling Juda: »Alle Frauen und Kinder zum Strand am Barriereriff!«

Sorrys Mutter und Großmutter sowie seine Schwester und Tara rannten mit den anderen zu einem flachen Graben, der durch ein Unterholz, in dem viele Beeren und essbare Früchte wuchsen, hinüber zur Luvseite der Insel führte. Sorry stellte sich neben Jonjen und betrachtete die weißen, schwach phosphoreszierenden Bugwellen der Schiffe, die sich unablässig auf den Strand zu bewegten. Motoren dröhnten und Auspuffdämpfe stiegen auf wie silbriger Rauch. Sorry fiel auf einmal das Atmen schwer.

Schließlich schoben sich drei der Landungsboote mit ihrem flachen Rumpf den Strand hinauf und ließen ihre Bugklappen herunter. Das vierte war offenbar auf einen hundert Meter vor dem Strand gelegenen Korallenfelsen aufgelaufen und bemühte sich nun mit laut aufheulenden Dieseln wieder freizukommen. Manche der Korallenfelsen in der Lagune waren größer als die Hütten des Dorfes.

Dann hörte Sorry auf einmal Stimmen und erkannte sofort, dass sie kein Japanisch sprachen. Seine Angst verschwand wie ein von Thunfischen auseinander gejagter Schwarm kleiner Fische. Stattdessen verspürte er große Erleichterung.

Aus den Booten stiegen schwer mit Ausrüstung bepackte Männer, die rasch und fast lautlos auf die Palmen zugingen. Sie verschwanden zwischen den dunklen Stämmen und marschierten in Richtung Wetterstation. Bald hörten Sorry und sein Großvater lautes Knallen und rannten zusammen mit den anderen Männern des Dorfes in die entgegengesetzte Richtung. Das hier war nicht ihr Kampf. Diese Sache mussten Amerikaner und Japaner, die jetzt seit zwei Jahren miteinander im Krieg lagen, untereinander ausmachen.

Dann verstummte auf einmal der Lärm und außer den Stimmen der Fremden war nichts mehr zu hören. Sie klangen ruhig und unbeeindruckt von dem, was gerade geschehen war. Niemand brüllte herum oder schien auch nur aufgeregt zu sein.

»Ich glaube, die Gefahr ist jetzt vorbei«, sagte Jonjen.

Obwohl die Sonne noch nicht aufgegangen war, verbreitete sich rasch ein schwaches, gelbgraues Tageslicht. Sorry und die anderen kehrten in die Mitte des Dorfes zurück, wo sich die *monjar* genannte Kirche und das Schul- und Versammlungshaus befanden. Dort standen laut miteinander redend und Zigaretten rauchend mehrere hundert U.S.-Marines in voller Kampfausrüstung. Die »Schlacht« von Bikini war schon vorbei.

Häuptling Juda, der sich rasch Hemd und Hose übergestreift hatte, kam barfuß herbeigeeilt. »Willkommen«, sagte er zu dem großen Soldaten, bei dem es sich um den Anführer der Marineinfanteristen zu handeln schien. Juda beherrschte nur zwei englische Begriffe: *Willkommen* und *Auf Wiedersehen.* Der Offizier antwortete mit »*Yokwe-yuk*« und alle mussten lachen.

In der Sprache der Marshallinseln bedeutete *yokwe-yuk* sowohl *Hallo* als auch *Auf Wiedersehen* und *Alles Gute für dich.* Der hoch gewachsene Mann, der selbst den größten Einwohner von Bikini noch um gute dreißig Zentimeter überragte, trug zwar einen olivfarbenen Helm auf dem Kopf und am Gürtel eine Pistole, aber er hatte freundliche, blaue Augen. Er lächelte, schüttelte Juda die Hand und sagte etwas zu seinem

Dolmetscher. Der *riukok* stammte von einem anderen Atoll der Marshallinseln und war wie ein Weißer gekleidet, bis hin zu Sonnenbrille und Armbanduhr.

Er wandte sich an die Dorfbewohner und sagte: »Jetzt seid ihr eure Sorgen los. Bevor wir die Japaner gefangen nehmen konnten, haben sie sich selbst umgebracht. Sie hatten sich in einem Bunker versteckt.«

Nun hatten die Plünderungen und Vergewaltigungen ein Ende. Niemand mehr brauchte die Soldaten aus dem Holzhaus zu fürchten und Lokileni und die anderen Frauen konnten endlich aufatmen.

Der Offizier sagte wieder etwas und der Dolmetscher übersetzte: »Wir werden jetzt die toten Japaner beerdigen und dann bekommt ihr ihre Lebensmittel und einen Teil ihrer Ausrüstung.«

»Vielen Dank, vielen Dank«, sagte Juda in der Sprache der Marshallinseln.

Sorry dachte an das, was Tara über die Amerikaner gesagt hatte, und war sofort von ihrer Freundlichkeit und Großzügigkeit beeindruckt. Sie waren freigebig und ganz anders als die Japaner. Zumindest dieser große Marine war anders. Während seine Leute die amerikanische Flagge hissten, drückte er Juda noch einmal die Hand.

Sorrys Mutter sagte zu Lokileni, sie solle rasch nach Hause laufen und eine *alu*, eine Muschelkette, holen.

Als Lokileni die Kette gebracht hatte, legte die Mutter sie dem Offizier um den Hals und sang dabei in der Sprache der Marshallinseln:

Diese alu
bringe ich und schenke sie dir
als eine Erinnerung an uns
und diesen großen Freudentag.

Der groß gewachsene Marine ließ sich die Worte übersetzen und sagte dann: »Ich danke euch im Namen aller meiner Männer.«

Ruta Rinamu lächelte. Sie hatte lange, schwarze Haare, ein rundes Gesicht und große, dunkle Augen, die wie die Brandung am Barriereriff funkelten, wenn die Sonne darauf schien. Lokileni hatte ihre Augen geerbt.

Bald waren die Gräber für die feindlichen Soldaten ausgehoben, in die man sie nackt und ohne ein Wort des Bedauerns oder eine wie auch immer geartete Zeremonie hineinwarf.

Nach dem Begräbnis gesellte sich Sorry zu den anderen Inselbewohnern, die sich in einer langen Reihe angestellt hatten um sich von den Marineärzten untersuchen zu lassen. Die Menschen auf Bikini waren nur selten krank, denn sie lebten gesund und ernährten sich hauptsächlich von Fisch, Kokosnüssen und Taro.

Bei Sonnenuntergang stand Sorry mit all den anderen am schattigen Strand. Sie sahen den Amerikanern zu, wie sie wieder in ihre Boote stiegen, und riefen: »*Kommol, kommol* – Vielen Dank und alles Gute für euch.«

Danach gingen die Inselbewohner in die Kirche um Gott für die Befreiung zu danken. Juda zündete seine Petroleumlampe an, Lieder wurden gesungen, und Jonjen, der in seinem weißen Kellnerjacket, das er vor langer Zeit einmal geschenkt bekommen hatte, so vornehm wie immer aussah, las den Psalm 147 aus der Bibel der Marshallinseln: »Lobet den Herrn! Denn unsern Gott zu loben, das ist ein köstlich Ding ...«

Dann verließen sie die Kirche, nahmen jeder eine Fackel aus getrockneten Palmwedeln und gingen zur Wetterstation um zu sehen, wie es jetzt dort aussah. Dabei sangen sie wieder, und diesmal war es Sorrys Lieblingslied »*Amazing Grace*«. Diese Nacht würde Sorry sein ganzes Leben nicht mehr vergessen: An die vierzig rot lodernde und knisternde Fackeln bewegten sich durch die stille, schwarze Nacht in Richtung auf das Japanerlager zu, während sich die Stimmen der Sänger über das Rauschen der schwachen Brandung erhoben.

Die Frauen, die für die Japaner geputzt hatten – auch Sorrys Mutter und Yolo waren darunter – wussten bereits, was es in der Wetterstation alles gab: lauter japanische Dinge wie Werkzeug, Kimonos und Sandalen, Bücher und Reisschalen und Essstäbchen sowie Nahrungsmittel und Bier. Die Waffen der Japaner hatten die Marines mitgenommen.

Häuptling Juda erklärte, dass er am nächsten Tag die Habe der Japaner gerecht an die elf Großfamilien der Insel verteilen wolle.

Sorry entdeckte eine dicke, japanische Zeitschrift mit vielen Fotografien darin und nahm sich vor, Häuptling Juda am nächsten Morgen darum zu bitten.

Ein paar Stunden später lichteten die amerikanischen Schiffe in der Lagune die Anker und fuhren hinaus aufs nächtliche Meer und die Inselbewohner begannen ein *kemen*, ein großes Fest, zu feiern.

Der Nachlass der Japaner belief sich auf achtzig große Säcke Reis, Hunderte von Konservendosen mit Fisch, rotem Fleisch und einem Gemüse, das keiner der Inselbewohner jemals zuvor gesehen, geschweige denn gegessen hatte. Jonjen prophezeite, dass das Leben langsam wieder zur Normalität zurückfinden würde.

Am nächsten Morgen ließ sich Sorry von Juda die Zeitschrift geben.

1939 schrieb der weltberühmte Physiker Albert Einstein an den amerikanischen Präsidenten Franklin D. Roosevelt und warnte ihn davor, dass die Deutschen die Möglichkeit hätten, eine schreckliche Waffe zu bauen: die Atombombe.

5

Sorry nahm seine Zeitschrift und ging durch den Wald zum
Strand am Barriereriff. Dort setzte er sich in den Schatten
der Büsche mit ihren dicken, wachsartigen Blättern. Die
Pflanzen am Strand mussten widerstandsfähig sein, damit sie
die salzige Gischt aushielten, die der Wind manchmal in Richtung auf das Dorf trieb. Sorry kam oft alleine hierher und
dachte über die Welt nach, die hinter dem Horizont lag.
Manchmal fand er hier kleine Häufchen von glänzenden Muscheln und Blüten, die seine Großmutter Yolo an diesem einsamen Ort den alten Göttern zum Opfer dargebracht hatte.
Zu den Bäumen, die auf der Riffseite der Insel wuchsen,
zählte auch die Tournefortia, deren verschlungene, kahle
Zweige wie lange, braune Finger aussahen. Großmutter Yolo
behauptete, dass diese Pflanzen nachts zu ihr sprächen und
dass sie ihr in letzter Zeit schreckliche Dinge vorausgesagt
hätten. Yolo war so alt, dass sie nur dann etwas sagte, wenn
es von großer Bedeutung war.
Sorry betrachtete staunend die Bilder in der Illustrierten. Sie
zeigten Häuser, die zehnmal höher waren als die Palmen auf
Bikini, und Schiffe, die halb so lang zu sein schienen wie die
ganze Insel. Außerdem gab es Maschinen, die auf Gleisen liefen. Alle Menschen auf den Fotos trugen Kleider. Er entdeckte noch viele andere Dinge, von denen er zwar schon
gehört, die er aber noch nie gesehen hatte. Sorry hatte oft
über die *ailiñkan*, die andere Welt, nachgedacht und sich gefragt, wie sie wohl aussehen würde. Und jetzt, als er sie auf

den Fotografien betrachtete, verspürte er den Wunsch, eines Tages selber dort hinzufahren.

Drei Stunden lang saß Sorry an diesem Morgen unter den wachsartigen Büschen neben einer feuchten Taro-Grube und blätterte, während der Ozean an das Riff brandete, in der Zeitschrift hin und her. Als er schließlich nach Hause ging, nahm er sich vor, Lokileni darum zu bitten, ihm eine Tasche aus Pandanus-Blättern zu flechten, in der er das bebilderte Heft aufbewahren konnte.

Die Herstellung von Matten war Frauenarbeit. Männern war sie verboten. In früheren Zeiten durften Frauen auch nicht vom Kanu aus fischen, wohl aber vom Land aus. Früher hatte es sehr strenge Gesetze gegeben. Selbst jetzt noch war es nur den Männern erlaubt, auf dem offenen Feuer zu kochen. Dafür durften sie nicht im *um* backen, einem birnenförmigen, aus Korallengestein aufgeschichteten Ofen.

Wenn auf Bikini die *al* genannte Äquatorsonne am heißesten schien, hielten nicht nur die Inselbewohner ihren Mittagsschlaf, sondern sogar die Hunde, Schweine und Hühner. Das einzige Geräusch, das man mittags auf der Insel hörte, war das Rascheln der Palmwedel, die ein von Dezember bis April gleichmäßig wehender Wind bewegte. Normalerweise schlief Sorry auch, aber an diesem Tag konnte er es nicht. Er saß stattdessen auf seiner Matte und sah sich immer wieder die Bilder in der Illustrierten an, wobei er zwei bis drei Minuten lang bei jeder Fotografie verweilte. Er war voller Wissensdurst, was die andere Welt anging.

Am Nachmittag widmete sich Sorry seinen beiden wichtigsten Aufgaben. Die erste davon, das Pflücken von grünen Kokosnüssen, teilte er sich mit Lokileni. Dazu kletterte Sorry auf die Palmen, indem er sich mit den Zehen in den schmalen Kerben ihrer Stämme festkrallte. Lokileni kletterte genauso gut wie Sorry, aber sie hatte nicht die Kraft um mehr als zwei, drei Kokosnüsse abzureißen.

»Kannst du irgendwo Fische sehen?«, rief sie von unten herauf.

Sorry hatte ganz vergessen auf die Fische zu achten. Jeder, der wegen der Kokosnüsse auf eine Palme stieg, suchte ein paar Minuten lang die Lagune nach wandernden Fischschwärmen ab, die man leicht am schäumenden Wasser erkennen konnte. Hatte man einen Schwarm entdeckt, blies jemand in eine Muschel und schon wurden in Windeseile die Kanus zu Wasser gebracht, hinausgepaddelt und die Netze ausgeworfen.

»Ich kann nichts entdecken«, rief Sorry zurück und riss eine dicke Kokosnuss ab.

Er erinnerte sich noch gut an den Tag, als er im Alter von fünf Jahren das erste Mal auf eine Palme geklettert war. Wie stolz war sein Vater damals auf ihn gewesen! In der trockenen Jahreszeit brauchte jede Familie pro Tag die Flüssigkeit von dreißig Kokosnüssen. Regen gab es nur im Sommer und die Leute im Dorf fingen ihn auf, so gut sie konnten. Das Wasser bewahrten sie dann in ausgehöhlten Baumstämmen und großen Konservendosen auf und jetzt auch in der von den Japanern angelegten Zisterne.

Ohne Kokosnüsse konnte man auf der Insel nicht überleben. Auf den niedrigen Atollen hier im Norden gab es wenig oder gar kein Süßwasser. Nachdem man den halben Liter Kokosmilch aus der Nuss gegossen hatte, zerschlug man sie und verfütterte das unreife Fruchtfleisch an die Schweine, die Hunde und die Hühner. Auf Bikini wurde nichts Essbares vergeudet. Jahrhundertelang hatten die Menschen hier von dem gelebt, was ihnen die Insel und das Meer lieferten.

Das wichtigste Grundnahrungsmittel war dabei immer die Kokosnuss gewesen. Darüber hinaus konnte man die Rinde der Palmen zu einem Puder verarbeiten, der eine blutstillende Wirkung hatte, während die Palmwurzeln, zu einem Brei zerdrückt, ein gutes Mittel gegen Zahnweh waren. Großvater Jonjen bedachte die Kokosnuss oft in seinen Gebeten.

Die Pandanuspalme, der zweite nützliche Baum auf Bikini, nannten die Inselbewohner *bop* und Großvater Jonjen behauptete, dass diese seltsame Pflanze eine der ältesten auf der Erde sei. Aus der Pandanusfrucht, die einer Ananas ähnelte, machte man ein Gelee, das in getrocknetem Zustand auf langen Seereisen als Nahrung diente. In alter Zeit hatte man sogar Segel aus Pandanusblättern gefertigt. Darüber hinaus eigneten sich die festen, trockenen, gummiartigen Blätter hervorragend zum Dachdecken und für die Herstellung von Matten. Sorry kaute oft das Innere der Pandanusfrucht, das orangene, stärkehaltige Fruchtfleisch. Und wenn man den Blütenstaub der männlichen Blüten mit Kokosöl mischte, dann ergab das einen Liebestrank.

Auch den *bop* erwähnte Großvater Jonjen in seinen Gebeten und bat Gott um das Wohlergehen des Baumes.

Nachdem sie die Kokosnüsse in der Nähe des Kochhäuschens aufgehäuft hatten, griff sich Sorry einen der Speere seines Vaters und kehrte damit zum Barriereriff zurück. Er hätte auch am Rand der Lagune fischen können, aber die Fische dort waren meistens kleiner und deswegen schwerer zu treffen. Und außerdem wollte Sorry so schnell wie möglich wieder zu seiner Zeitschrift zurückkehren. Am anderen Strand, der zum offenen Meer hin grenzte, waren die Fische zwar leichter zu harpunieren, dafür aber war die Arbeit bei hohem Seegang ungleich gefährlicher. Die Wellen türmten sich weit draußen im Ozean auf und brandeten an das Barriereriff, wo sie die Luft mit salziger Gischt erfüllten und weißen

Schaum bis an den Strand schickten, bevor sie sich wieder zurückzogen. An manchen Tagen warnte der Ozean die Inselbewohner mit seinem ohrenbetäubenden Lärm davor, ihm zu nahe zu kommen. An anderen Tagen wiederum schien er zu lächeln und die Menschen willkommen zu heißen.

Seit Sorry im Sand hatte krabbeln können, war ihm das Meer sowohl als Freund als auch als Feind erschienen. Hier auf Bikini brachten die Erwachsenen den Kindern schon früh bei, das Wasser zu beobachten und zu lauschen, ob es von Freundschaft sprach oder von Gefahr.

Sorry glaubte, dass sein Vater irgendwo am Barriereriff umgekommen war. An jenem Tag war Badina nicht mit dem Kanu hinaus auf die Lagune gefahren, sondern mit seinem Speer allein in Richtung Riff aufgebrochen. Mehr wusste man nicht. Sorry glaubte, dass ein Hai seinen Vater getötet hatte. Vielleicht ein tückischer Tigerhai, der im Wasser innerhalb des Riffs nach Fischen gesucht hatte. Die Leiche von Sorrys Vater hatte man nie gefunden. Seitdem war Sorry immer besonders vorsichtig, wenn er mit seinem Speer am Riff auf Fischjagd ging.

An diesem Tag war die Brandung ziemlich schwach und Sorry ging weit hinaus bis kurz vor die Stelle, an der die Wellen sich brachen. Dann schwamm er unter einer der Wellen hindurch und tauchte im klaren Wasser wieder auf. Unter sich sah er blaue Korallen und wogendes Seegras, zwischen denen bunt schillernde Fische umherschwammen. Sie flitzten durch die Korallenschluchten, verschwanden in Höhlen und Gängen und kamen kurz darauf wieder heraus. Es gab Lippfische und Barsche, schwarzschwänzige Schnapper und kleinere Schwärme von rosafarbenen, gelben und grünen Fischen. Sorry sah auch einen Warmwasseraal, der sich in einer Spalte versteckt hatte und auf Beute lauerte.

Sorry trug eine selbst gebastelte Taucherbrille, mit deren

Hilfe er unter Wasser die Augen offen halten konnte. Das Gestell der Brille hatte Sorry sich aus Hartholz geschnitzt, während eine angeschwemmte Flasche die Gläser geliefert hatte. Sorry hatte sie zerschlagen und dann die Scherben an einem Stück Koralle passend geschliffen. Am Kopf gehalten wurde die Taucherbrille von einer starken Schnur aus Palmfasern, die man auf Bikini *sennit* nannte. Sie wurde hergestellt, indem man Kokusnusswolle zwischen Hand und Oberschenkel so lange rollte, bis man einen dicken Zwirn erhielt. Die *sennit* war so stark, dass man einen dreißig Kilo schweren Thunfisch daran aufhängen konnte. Nach altem Brauch durften nur die Männer *sennit* herstellen. Auch Sorry hatte schon viele Meter davon gezwirbelt.

Jetzt ließ er sich im Wasser treiben, paddelte nur ab und zu mit den Beinen und wartete auf eine Möglichkeit mit seinem scharfen Speer einen Barsch zu erlegen. Als schließlich einer in seine Nähe kam, rammte Sorry ihm den Speer dicht hinter dem Kopf in den Leib. Der Barsch zappelte und schwamm nach unten und zog Sorry an der Schlinge, mit der der Speer an seinem Handgelenk befestigt war, mit sich. Sorry hatte schon öfter hier gefischt und stemmte sich mit den Füßen an einer glatten Kante des Korallenriffs ab, während er den Kopf aus dem Wasser streckte und Luft holte. Der Barsch zappelte und zerrte am Speer, aber nach einer Weile gab er auf und Sorry konnte ihn zum Strand schleppen.

Sorry konnte sich gar nicht mehr daran erinnern, wann er schwimmen gelernt hatte. Die Lagune und das Wasser am Barriereriff waren für ihn wie ein zweites Zuhause.

Als er abermals hinaus hinter die Brandung an der Außenseite des Riffs schwamm, entdeckte er einen noch größeren Fisch. Dieser Barsch, der bestimmt fünf Kilo wog, würde die Familie gut und gern zwei Tage lang ernähren. Er kam aus der Dunkelheit zwischen den Korallen hervor und achtete nicht auf Sorrys Schatten an der Wasseroberfläche, sondern schwamm auf ein paar Schmetterlingsfische und Meergrundeln zu, die er sich einverleiben wollte.

Der Speer durchbohrte ihn seitlich hinter den Kiemen, sodass er stark zu bluten begann. Als Sorry an seinem Speer zog, sah er aus dem Augenwinkel einen riesigen blaugrauen Hai rasch auf sich zukommen.

Es war ein Mako, der schnellste Hai des ganzen Pazifiks. Bei Haien wusste man nie, ob sie einen angriffen oder nicht. Während der Zitronenhai, der australische Ammenhai, der Schnapper, der Hundshai und der Sandhai nur selten eine Bedrohung darstellten, war es beim Hammerhai und dem grauen Riffhai schon etwas anderes. Ebenso wie der Tigerhai, der der gefährlichste von allen war, veranlasste ihr bloßer Anblick die Taucher mit wild klopfenden Herzen aus dem Wasser zu eilen. Beim verschlagenen Makohai hingegen konnte niemand so genau sagen, was er gerade vorhatte.

Dieser hier drehte sein spitz zulaufendes Maul zur Seite und verschlang den Barsch mitsamt dem Speer.

Um nicht in die dunkle Tiefe mit hinabgezogen zu werden, in der der Mako lebte, ließ Sorry die Schlinge des Speers los, schwamm zurück zur Wasseroberfläche und ging mit seiner ersten Beute zurück nach Hause. Am nächsten Tag würde er wieder zurückkehren und den Verlust ohne große Mühe wieder wettmachen.

Schließlich würde das Riff mit all seinen Lebewesen auch morgen noch da sein, dessen war Sorry sich sicher. So war es seit Menschengedenken gewesen. Winzige Tierchen wandelten den Kalk aus dem Meerwasser in Korallen um, bevor sie starben und ihre leeren Behausungen zurückließen, die bald von verborgener Nahrung zu wimmeln begannen. Wenn man einen Stein hochhob, konnte man eine Garnele zuschnappen hören. Nahm man ein Büschel Seegras in die Hand, kam darunter oft eine Spinnenkrabbe zum Vorschein. Überall auf den Riffen gab es kleine Oktopusse, die ihre Arme um Sorrys Kopf und seinen Hals schlangen, bis er sie mit einem Biss tötete.

Bei Sonnenuntergang, der oft die schönste Zeit des Tages war, vertiefte sich Sorry wieder in seine Illustrierte, von der er einfach nicht genug kriegen konnte.

Großvater Jonjen saß neben ihm im Sand und sah ihm zu.

»Was siehst du bloß in diesem Heft, Sorry?«, fragte er schließlich.

»Ich sehe Dinge, von denen ich nicht wusste, dass sie existieren. Schau dir doch mal dieses riesengroße Gebäude an.« Er zeigte Jonjen ein Hochhaus. »Wusstest du, dass es so etwas gibt?«

»Ich habe davon gehört ...«

»Und würdest du gerne einmal in so ein Haus hineingehen und dich umsehen?«

»Nein, ich glaube nicht«, sagte Jonjen und gähnte.

Es war wirklich hoffnungslos mit ihm. Jonjen verwendete noch immer die Ahle aus Haizähnen und Muschelmesser, die man seit Urzeiten auf der Insel als Werkzeug benützte. Er besaß auch zehn Zentimeter lange Angelhaken aus Perlmutt, die fünfzig Jahre alt waren. Die jungen Männer hingegen bevorzugten Angelhaken aus Stahl und Fischernetze, die aus der Welt außerhalb des Atolls kamen. Nicht so Jonjen.

Dafür konnte Jonjen in Minutenschnelle aus den Palmwedeln einen grünen Korb oder einen Hut flechten, so, wie man das früher eben gemacht hatte. Sorry wusste zwar auch, wie das geht, aber er hatte nicht vor es anzuwenden.

Er hatte seinen *jimman* zwar in sein Herz geschlossen, aber er wollte nicht so werden wie er.

Zwei Tage später, kurz vor dem ersten Treffen der Ratsversammlung des Atolls nach dem Ende der japanischen Besetzung, wollte der *jimman* mit ihm sprechen. Sorry sagte Jonjen, dass er Angst davor habe, ein *alab* zu werden und mit den Ratsmännern zusammenzusitzen, die zwei- oder dreimal so alt waren wie er. Er fürchtete sich davor, dass sie ihn auslachen und verspotten würden.

»Trotzdem musst du hingehen«, sagte Jonjen.

»Außer du bist krank oder verrückt«, fügte seine Mutter hinzu. »Und du bist keines von beiden, Sorry.«

»Am Anfang werde ich neben dir sitzen«, versprach Jonjen.

Während der Besatzungszeit hatte die Ratsversammlung nur zweimal getagt, beide Male war es um Landstreitigkeiten auf den äußeren Inseln gegangen. Man traf sich nur, wenn eine Entscheidung gefällt werden musste.

»Aber ich weiß doch nicht, was ich sagen soll«, fing Sorry wieder an.

»Das lernst du schon«, erwiderte Jonjen. »Es ist nämlich nicht schwer. Ganz gleich, worum es geht, du musst zuerst gründlich darüber nachdenken und dann deine Entscheidung fällen.«

»Du bist alt genug, Sorry«, meinte seine Mutter. »Mit vierzehn musst du nicht nur deine Muskeln, sondern auch deinen Kopf benutzen.«

»Ja, Sorry, das musst du«, bekräftigte Tara.

Sie waren draußen am Kochhaus. Sorrys Mutter kochte gerade *lukop*, einen Pudding aus *jekaro*. Der Saft wurde für viele Dinge verwendet. Man mischte ihn mit geriebenen Kokosnüssen und machte daraus eine Süßspeise, die *amedama* hieß, oder kochte einen Sirup daraus, der dann über gekochte Taro gegeben wurde.

Sorry steckte einen Finger in die Holzschüssel und kratzte sich einen Rest der Süßspeise heraus. »Aber Großvater, wenn du ohnehin mitkommst und mir sagst, wie ich mich entscheiden soll, dann werde ich doch gar nicht gebraucht ...«

»Ich komme nur die ersten fünf oder sechs Mal mit.«
Sorry schleckte seine Finger ab, schnaufte kurz und schüttelte den Kopf.

Seine Mutter meinte: »Dein Vater wäre sehr stolz, wenn er dich im Rat sehen würde.«

Sorry seufzte. Warum verstanden die drei nicht, wie dumm und beschränkt er sich im Kreis der älteren Männer fühlen würde? Und wenn er überhaupt eine eigene Meinung hätte, dann hätte er bestimmt Angst davor, den Mund zu öffnen. Abgesehen davon war es einfach falsch zu glauben, dass er mit seinem vierzehnten Geburtstag auf einmal ein anderer Mensch werden würde. Er konnte sich doch nicht über Nacht ändern.

Sorry schaute nacheinander seine Mutter, Tara und seinen *jimman* an. »Ich werde es mit dir gemeinsam machen, Jonjen. Wir werden sagen, dass wir zwar beide erwachsene *alabs* sind, aber nur eine Stimme abgeben.«

Ja. Auf diese Weise würde er den Geist seines Vaters irgendwo da draußen am Barriereriff stolz und glücklich machen.

Großvater Jonjen gestattete sich ein kurzes Lächeln.

Am 19. Januar 1941 genehmigte Präsident Roosevelt For-
schungsarbeiten zur Entwicklung der Atombombe.

6

Die Insel Nantil lag acht Kilometer im Nordwesten zwischen
Bikini und Aoeman. Sie war etwa eineinhalb Kilometer lang
und einen halben Kilometer breit. Sorry war schon fünf oder
sechs Mal zusammen mit anderen Jungs hier gewesen.
Manchmal hatten sie dort sogar übernachtet, hauptsächlich,
um einmal von zu Hause weg zu sein.
Heute aber fuhr Sorry alleine nach Nantil um sein Erwach-
senwerden und die Tatsache zu feiern, dass er jetzt das Oberhaupt der Familie war. So war es auf Bikini der Brauch.
Immer wieder verbrachten Männer von den benachbarten
Inseln eine oder zwei Nächte auf dieser oder einer anderen
einsamen Insel. Sie wollten dann meistens ganz einfach eine
Weile alleine sein um nicht jeden Tag dieselben Gesichter sehen und dieselben Stimmen hören zu müssen. Hier konnten
sie ungestört über vieles nachdenken. Auch Sorrys Vater
hatte das hin und wieder gemacht. Einmal war Badina zum
Beispiel nach einem Streit mit Sorrys Mutter nach Bokabata
gefahren, das ganz oben in der nordwestlichen Ecke des
Atolls lag, und eine ganze Woche dort geblieben.
Wenn man auf Bikini sehr langsam vom einen Ende der Insel
zum anderen ging, brauchte man dafür weniger als eine
Stunde. In dieser Enge konnte man nichts voreinander ver-
bergen und es war verwunderlich, dass es nicht dauernd tät-
liche Auseinandersetzungen in oder zwischen den Familien
gab. Sorry konnte sich an keine einzige Schlägerei erinnern.
Vielleicht lag diese ausgeglichene Friedlichkeit an der sanf-

ten Luft und der Ruhe, die überall auf den Inseln herrschte, die wie eine Halskette aus grünen und weißen Perlen im blauen Wasser des Ozeans lagen. Dennoch war die Enge auf Bikini manchmal bedrückend.

So viel man wusste, war Nantil nie dauerhaft bewohnt gewesen. Es gab dort einen schönen Kokospalmenhain und an die sechzig verstreut stehende Pandanuspalmen. Sorry gefielen besonders die Felsspalten und Öffnungen des Barriereriffs vor der Insel, weil sich darin scherenlose Hummer aufhielten. Außerdem gab es dort die üblichen Fische und am Strand konnte man nach im Sand vergrabenen Schildkröteneiern suchen.

In der kommenden Nacht würde zum zweiten Mal, seit sich die Japaner umgebracht hatten, wieder Vollmond sein. Am späten Vormittag belud Sorry eines der kleinen Kanus mit ein paar Schlafmatten, einem Stück Fischernetz, zwei Speeren und der Illustrierten. Lokileni hatte ihm auf seine Bitten hin eine Hülle aus Pandanusblättern dafür gemacht, die das Heft, das nun Sorrys kostbarster Besitz war, vor Spritzwasser schützte. Sorry ließ das Kanu ins Wasser gleiten, hisste das Segel und machte sich auf den Weg nach Nantil. Der Wind war beständig und mäßig stark und das Kanu glitt munter über die kleinen Wellen. Eigentlich war dieses Kanu nur zum Paddeln vorgesehen gewesen, aber Sorry hatte es selbst mit Mast und Segel versehen.

Die Boote der Marschallinseln, die einen hohen, schmalen Rumpf und gebogene Ausleger hatten, waren in der ganzen Südsee für ihre Schnelligkeit und ihre Wendigkeit ebenso bekannt wie für ihre Fähigkeit plötzlich aufziehende Stürme zu überstehen und selbst bei wenig Wind noch Fahrt zu machen. Auf Bikini gab es acht große Kanus, die sogar hochseetüchtig waren. Sie waren zwischen sieben und zehn Metern lang, hatten einen sechs Meter hohen Mast und wurden normalerweise von zwei oder drei Männern gesegelt. Daneben gab es noch drei kleinere Kanus, die für Fahrten innerhalb der Lagune geeignet waren und die Sorry alleine steuern konnte. Sein Vater hatte ihm das Fischen und Segeln beigebracht und von seinem *jimman* hatte er die Namen der Sterne am Himmel gelernt und wie man sich an ihnen orientierte. So hatten es die Polynesier und Mikronesier seit Jahrhunderten getan. Darüber hinaus verwendeten sie Stockkarten, die man *mattang* nannte und die aus mit *sennit* zusammengebundenen Rippen von Palmwedeln bestanden, auf die man einen Plan der Inseln gezeichnet hatte. Außerdem achteten sie auf den Rhythmus der Wellen, die gegen den Bug des Kanus schlugen, und errechneten sich daraus die Richtung, in die sie fuhren.

Jonjen hatte Sorry all die Geschichten erzählt, die er selbst als Junge gehört hatte. Die Religion der Vorfahren war eng mit den Sternen, den Planeten, dem Meer und der Sonne verbunden gewesen. Hatte eine lange Reise über Hunderte von Kilometern bevorgestanden, hatten die Krieger den Gott Ani um guten Wind und Schutz gebeten und oft tagelang darauf gewartet, dass ihr Priester ihnen Anis Segen überbrachte.

Manchmal stellte sich Sorry vor, er selbst würde in dieser längst vergangenen Zeit leben und zusammen mit neun starken Männern in fünfzehn Meter langen Kanus, fünf oder sechs in einer Reihe, hinaus aufs Meer fahren. Sie würden Kriegsgesänge singen, weit, weit fort segeln und erst nach ein paar Monaten wiederkehren. Während sein kleines Boot über die Wellen glitt, dachte Sorry an die Männer, die in ihren großen Kanus zu unbekannten Ufern aufgebrochen waren. Wie lange würde es wohl noch dauern, bis auch er das tun konnte?

In weniger als einer Stunde hatte er Nantil erreicht. Wenn er wieder heimfuhr, würde er gegen den Wind segeln müssen und deshalb sehr viel länger brauchen. Da keine Menschen hier lebten, gehörte die Insel den Vögeln. Als Sorry sein Kanu den Strand hinaufzog, flogen Riffreiher, Seeschwalben, Wasserläufer, schwarze und braune Tölpel, rotschwänzige Tropikvögel und Möwen laut kreischend vom Ufer auf. Im Sand und im Gestrüpp nisteten Hunderte von den Tieren. Sorry rief ihnen zur Begrüßung ein lautes *yokwe* zu und wusste wohl, dass sie ihn sofort angreifen würden, wenn er einem ihrer Nester zu nahe käme. Bei früheren Besuchen auf Nantil hatten sie ihn bisweilen recht schmerzhaft in den Kopf gehackt und einmal hatte er sogar geblutet. Seither war Sorry klar, dass er die Nester, wenn irgend möglich, umgehen musste.

Zur Brutzeit besonders gefährlich waren die *haks* genannten schwarzen Fregattvögel, deren Flügel bis zu zwei Meter Spannweite erreichten. Als Sorry ankam, waren sie gerade auf Futtersuche und schwebten in großer Höhe und ohne mit den Flügeln zu schlagen über dem Meer. Sie warteten darauf, dass andere Vögel einen Fisch herauftauchten, den sie ihnen dann abjagen konnten. Sie selbst hatten keine Schwimmfüße und konnten nicht auf dem Wasser landen.

Sorry hatte vor, den Strand nach Muscheln abzusuchen, sein Heft durchzublättern und ein paar Kokosnüsse zu pflücken um sie später mit nach Hause zu nehmen. Außerdem wollte er, wenn die Sonne untergegangen war und der Mond am Himmel stand, zum Barriereriff schwimmen und dort auf Hummerjagd gehen.

Sorry war alleine und feierte seine Manneswürde. Er konnte tun und lassen, was er wollte.

Im vergangenen Jahr hatte sich auf Nantil eine Tragödie ereignet. Ein Junge namens August aus der Familie Ijjirik der ein Jahr jünger als Sorry war, hatte hier zusammen mit seinem älteren Cousin Jasua einen Tag verbringen wollen. Jasua war es auch gewesen, der später berichtete, was passiert war. Schon bei ihrer Ankunft hatten die beiden Jungen am Strand einen großen, runden Metallgegenstand entdeckt, der offenbar angeschwemmt worden war und merkwürdige Hörner hatte.

Jasua warnte August davor, das Ding zu berühren. Seiner Meinung nach musste es etwas mit dem Krieg zu tun haben. August wollte nicht auf ihn hören, und nachdem Jasua weggegangen war, schlug er mit der Schale einer Riesenmuschel gegen eines der Hörner des Gegenstands. Jasua berichtete später, dass die Explosion ihn sogar in einer Entfernung von einigen hundert Metern umgeworfen habe. Von August war nichts mehr da gewesen, was man hätte begraben können. Er hatte sich an einer japanischen Mine zu schaffen gemacht, die sich von ihrer Verankerung am Boden der Lagune losgerissen hatte.

Der arme August. Die arme Insel Nantil. Den Knall der Explosion hatte man bis nach Bikini gehört.

Seitdem war Sorry nicht mehr hier gewesen und jetzt hatte er niemandem außer seiner Familie gesagt, dass er nach Nantil fahren würde. Vermutlich war seit dem Unglück überhaupt kein Mensch mehr auf der Insel gewesen. Die Bewohner der Marshallinseln, insbesondere die Älteren wie Yolo, glaubten noch an böse Geister. Diese, so sagten sie, seien für Augusts Tod verantwortlich. So, als habe der Junge einen *yilak* sagen hören: »Nimm die Muschel und schlag auf das Horn.«

Weil seit fast einem Jahr niemand mehr auf die Insel gekommen war, lagen jede Menge Kokosnüsse auf dem Boden, dazwischen sprossen Palmschößlinge und in den Kronen der Palmen hingen viele grüne Kokosnüsse. Die Pandanusfrüchte vom letzten Jahr waren heruntergefallen und faulten im Sand. Die Luft war angefüllt vom lauten Gekreisch der Vögel, dem üblichen Rascheln der Palmwedel im Wind und dem Donnern des Ozeans am Barriereriff. Anders als auf Bikini hörte man hier weder spielende Kinder noch das Klopfen des Kanubauers, wenn dieser einen Baumstamm aushöhlte. Außerdem gab es hier keine Frauen, die sich gedämpft miteinander unterhielten, während sie ihre Pandanusmatten flochten. Das alles hatte Sorry hinter sich gelassen um mit sich alleine zu sein.

Sorry sprang in die Lagune und tollte wie ein Tümmler im Wasser herum. Er schwamm ein bisschen hinaus, dann wieder zurück zur Küste. In dem hüfthohen Wasser konnte er den Garten auf dem Meeresgrund gut erkennen. Seetang gab es da ebenso wie hin- und herschwingende, grüne Fächerkorallen, strahlend blaues Moos und rote Seegurken, violette und gelbe Schwämme und Fische in jeder nur denkbaren Farbe.

Als Nächstes ging Sorry den Strand der Lagune entlang und fand eine Menge angeschwemmter Dinge von amerikanischen Schiffen, die zur Befreiung der Inseln gekommen waren: leere Kisten und Flaschen, einen hölzernen Stuhl und vieles, von dem er nicht wusste, wozu es diente. Ähnliches Strandgut hatte man auch auf Bikini gefunden, nachdem die amerikanischen Schiffe wieder abgefahren waren. Sorry trug alles in der Nähe des Kanus zusammen um es mit nach Hause zu nehmen und mit den anderen zu teilen. Den Stuhl sollte seine Familie bekommen, er würde sich gut machen neben der Kommode. Sorry brauchte fast zwei Stunden, bis er das ganze Strandgut aufgesammelt hatte.

Anschließend ging er Muscheln suchen, von denen es diesmal sehr viel mehr gab als bei seinem letzten Besuch in Nantil. Er fand Mondmuscheln, Kaurimuscheln und Katzenaugen und steckte sie alle in die Segeltuchtasche eines Marines, die ebenfalls angeschwemmt worden war. Die Muscheln sollte Lokileni bekommen. Sorry fand auch drei leere Schneckenmuscheln, die er auf Bikini verschenken konnte. Diese Muscheln waren Aasfresser, die auf dem sandigen Boden der Lagune lebten und sich langsam und ruckartig fortbewegten. In ihren leeren Schalen hatten sich winzige Krabben eingenistet.

Während Sorry hin und her ging, dachte er an sein letztes Gespräch mit Tara. Sie unterhielten sich oft. Tara hatte gemeint, er solle bis zu seinem achtzehnten Geburtstag warten, bevor er die Insel verließ. Dann könnte er auf Kwajalein oder Majuro eine Arbeit annehmen und anschließend vielleicht auf Hawaii den Schulabschluss machen und aufs College gehen. Sorry entschloss sich dieses Ziel anzustreben. Noch vier Jahre. Tara hoffte, dass der Krieg bis dahin zu Ende war. Aber wer sollte nach seinem Weggang das Familienoberhaupt sein? Darüber machte er sich Sorgen.

Als die Sonne am höchsten stand, kletterte Sorry auf die Palmen und holte sich ein paar grüne Kokosnüsse. Er trank ihre Flüssigkeit, aß ein paar Pandanusfrüchte und setzte sich in den Schatten um noch einmal in seiner Illustrierten zu blättern. Inzwischen hatte er sie bestimmt schon hundertmal angeschaut und manche Seiten waren an den Ecken bereits eingerissen.

Bei jedem Betrachten hatte er etwas Neues entdeckt, worüber er nachdenken musste. Da war zum Beispiel dieser lachende japanische Junge auf einem Schlitten in einer weißen Umgebung, die, wie Sorry erfahren hatte, Schnee hieß. Dann gab es noch einen anderen Jungen, der auf einer Maschine mit zwei Rädern über eine Landstraße fuhr. Tara hatte Sorry von solchen Maschinen erzählt.

Als N ächstes kam er zu den Kriegsbildern. Sie zeigten marschierende Soldaten, fliegende Flugzeuge und Schiffe, die schwarzen Rauch ausspuckten und aus großen Kanonen schossen. Sorry verstand nicht, wie dieselben Menschen, die sich im Schnee oder auf diesen zweirädrigen Maschinen vergnügten, einen Krieg führen konnten.

Noch ganz verwirrt vom Verhalten der Menschen in *ailiñkan* schlief Sorry ein und träumte von dem, was August nur hundert Meter entfernt zugestoßen war. An der Stelle, an der die Mine explodiert war, konnte man noch immer einen Krater erkennen. Der Sand ringsum war tiefschwarz.

Im Juni 1942 gründeten die Amerikaner den »Manhattan District«, ein militärisches Forschungsinstitut, das sich mit der Erforschung der nuklearen Kernspaltung befassen und möglicherweise die Voraussetzung für den Bau der Atombombe schaffen sollte.

7

Als Sorry aufwachte, stand die Sonne nur noch eine Handbreit über dem Horizont. Er lief zur Lagune, schwamm ein wenig und holte sich dann aus dem Kanu einen Speer und machte sich auf den Weg zum Barriereriff. Dabei musste er durch das luvwärts gelegene Gestrüpp. Als er unter den letzten Palmen hervortrat, sah er sich plötzlich einem aufgebrachten *hak*, einem Fregattvogel, gegenüber, der seine Flügel auf volle zwei Meter Spannweite ausgebreitet hatte. Der Vogel, der ein Nest voller Junge verteidigte, stieß ein kehliges Rasseln aus, das so gefährlich klang, dass Sorry sich zum Wasser zurückzog und gleichzeitig seinen Speer auf den Vogel richtete.

Einige Minuten später zappelte ein schwarzschwänziger Schnappbarsch an der Spitze des Speers. Sorry tötete ihn, wie üblich, mit einem Biss hinter den Kopf und ging dann zu seinem Lagerplatz zurück, wobei er einen weiten Bogen um den Fregattvogel machte. Dort zerlegte er den Fisch mit einer Muschel und aß einen Teil davon roh.

Die Dämmerung brach mit ihren pazifischen Blautönen herein. Im Palmenwald wurde es dunkel und der Gesang der Vögel wurde spärlicher und leiser. Nur ab und zu brach einer von ihnen wieder in laute Schreie aus. Sorry griff wieder nach seiner Zeitschrift und begann sie ein weiteres Mal von vorne durchzublättern. Wie schon zuvor fragte er sich, weshalb die Japaner mit all ihren beeindruckenden Maschinen nicht mit den anderen Völkern in Frieden leben konnten.

Als sich schließlich die Dunkelheit über Lagune und Insel senkte, steckte Sorry das Heft zurück in seine geflochtene Tasche und wartete darauf, dass der Mond aufging. Wenn er voll oder fast voll war, schien er schräg in das während der Ebbe besonders seichte Wasser innerhalb des Barriereriffs und beleuchtete das Revier des nächtlichen Speerfischers. In einigen Stunden würde die Flut wiederkommen, die wegen des Vollmondes so hoch sein würde wie sonst im ganzen Monat nicht.

Wenn der Pazifik ruhig war, konnte ein Fischer bei diesem Licht gut die glänzenden, blau-grünen Rücken der scheren-losen Hummer sehen, die in den Höhlen und Felsspalten an der Außenseite des Riffs lebten und nachts im knietiefen, klaren Wasser des erhöhten Schelfs ihr Futter suchten. Im elfenbeinfarbenen Licht des Mondes waren sie eine leichte Beute und gaben in den Tagen um den Vollmond herum ein Festessen für das ganze Dorf ab.

Als der Mond wie ein weißorangener Ball über dem östlichen Horizont hing, fing Sorry in weniger als einer Stunde für jede der elf Familien auf Bikini je einen Hummer. Er steckte sie in sein Netz, das er mit einem starken Bindfaden verschloss und in eines der Wasserlöcher legte um es am folgenden Morgen wieder zu holen. Er wusste, dass man jetzt auch auf Bikini Jagd auf Hummer machte. Dort war bestimmt ein Dutzend Männer mit Speeren unterwegs.

Als der Mond dann über seinen Zenit hinaus war und im Westen schon wieder zu sinken begann, legte sich Sorry schlafen. Es war ein erfolgreicher Tag gewesen. Morgen würde er noch mehr grüne Kokosnüsse pflücken und dann wieder nach Hause segeln.

Am besten aber fand er, dass er alleine gewesen war und gründlich über die Dinge hatte nachdenken können, die ihm im Kopf herumgingen. Und er hatte genau das getan, was er sich vorgenommen hatte. Genauso hatte es sein Vater auf Bokabata gemacht und war glücklich wieder nach Hause gekommen.

Allerdings hatte Sorry hier auf Nantil ständig das Gefühl gehabt, doch nicht ganz alleine zu sein. August war immer noch hier, so wie auch die auf Bikini begrabenen Toten laut Großvater Jonjen ständig anwesend waren. Großmutter Yolo glaubte sogar, dass sie nachts am Strand spazieren gingen. Bevor Yolo in ihre nahezu stumme Welt verschwunden war, hatte sie Lokileni und Sorry viele Geschichten über mikronesische Dämonen, Geister und Halbgötter und sprechende Bäume und Fische erzählt. Da war zum Beispiel vom faulen Riesen Lodup die Rede gewesen, der auf der Insel Mwoakilloa lebte, oder von einem weiblichen Geist aus Ebadon, einer kleinen Insel bei Kwajalein, der die vier Kinder von Likidudu entführt hatte. Und dann gab es noch die Geschichte von der riesigen See-Eidechse *galuf*, die in der Lagune von Yap zu Hause war, und die vom Mörder Lokakalle auf Ijoen, einer Insel im Arno-Atoll. Als Kind hatte Sorry von Yolos Geschichten nicht genug kriegen können.

Jetzt, wo sein Schlafplatz so nahe bei der Stelle lag, an der August in tausend Stücke zerrissen worden war, spürte Sorry die Anwesenheit des toten Jungen und dachte an ihn, aber er hatte keine Angst. In Sorrys Gedanken sagte August, dass es der Krieg gewesen sei, der ihn hier auf Nantil getötet habe. Er selbst habe nichts dazu beigetragen. Dieser schlimme Krieg trage ganz allein die Schuld.

Sorry dachte an Augusts Lächeln und sein lautes Lachen. Die beiden hatten oft zusammen gefischt und gespielt oder sich im Sand und in der Brandung gebalgt. Sie waren am Strand entlanggerannt und sogar zusammen hierher nach Nantil gesegelt. Sorry dachte an Augusts nachdenkliches Gesicht und an seine warmen Augen.

Plötzlich bemerkte Sorry, dass ihm Tränen den Blick auf den Mond verschleierten, und er wusste, dass er nie wieder nach Nantil zurückkehren würde. Es war einfach zu schmerzlich. Er weinte wegen August und mit einem Mal weinte er auch um seinen Vater. Er weinte, bis ihm die Rippen wehtaten, und dann schlief er ein.

In der Morgendämmerung wachte Sorry auf. Er stützte sich auf einen Ellenbogen und blickte hinaus in die Lagune. Da sah er, wie ein einsamer Albatros knapp über der Wasseroberfläche dahinsegelte. So hoch oben im Norden sah man selten Albatrosse, aber trotzdem war er mit seinem großen, weißen Körper und den zwei Meter breiten, schwarzweißen Flügeln, deren Spitzen so scharf wie Speere waren, unverkennbar. Er schwebte mühelos dahin, legte auf einmal seinen Kopf in den Nacken und stieß ein lautes Stöhnen aus. Sorry hörte es genau.

Der Ruf war eine Warnung! Jonjen hatte Sorry einmal erzählt, dass vor langer Zeit ein Albatros über Bikini geflogen war und einen solchen stöhnenden Schrei hatte hören lassen.

Wenige Tage später war ein Taifun über die Insel gerast.

Irgendetwas Schreckliches würde mit dem Atoll passieren. Der Tournefortia-Baum hatte davor gewarnt und jetzt auch der Albatros.

Im Dezember 1942 setzten der Physiker Enrico Fermi und seine Mitarbeiter auf dem verschneiten Squashplatz der Universität von Chicago eine sich selbst erhaltende nukleare Kettenreaktion in Gang. Sie ging als »Chicago Reaktor Nummer Eins« in die Geschichte ein. Der zweite wichtige Schritt zum Bau der Atombombe war damit getan.

8

»Er hat gestöhnt, als er über mich hinwegflog«, erzählte Sorry, dem der Anblick und der Ruf des großen, weißen Vogels noch immer nicht aus dem Kopf gehen wollte.

»Das tun Albatrosse häufig«, sagte Jonjen. »Aber sie kommen nur sehr selten in unsere Gegend.«

Großvater und Enkel befanden sich vor dem Kanuschuppen und Sorry lud gerade die Dinge aus, die er auf Nantil gesammelt hatte. Lokileni, Tara und Sorrys Mutter standen daneben und sahen ihm zu.

»Vielleicht hat er sich verirrt«, sagte Sorry.

»Ab und zu kommen Albatrosse hierher«, meinte Sorrys Mutter. »Vor vielen Jahren hat einer einmal drei Tage lang das große Kanu deines Vater auf dem Weg nach Wotje verfolgt. Albatrosse lassen sich von den Luftströmungen über dem Wasser tragen und folgen Schiffen oder Booten. Warum sie das machen, weiß ich nicht.«

Jonjen saß mit überkreuzten Beinen im Sand und meinte nur: »Sie sind kein gutes Zeichen.«

Sorrys Mutter sah ihren Vater an. »Ich wusste, dass du das sagen würdest.«

»Erinnerst du dich noch an den Wirbelsturm?«, sagte Jonjen finster und sah sie verärgert an.

»Natürlich erinnere ich mich«, erwiderte sie. Das Wasser der Lagune hatte damals die Insel hüfthoch überschwemmt, sämtliche Hütten zerstört und die Tarogruben überflutet. Alle waren zu den schwankenden Palmen gelaufen und hatten sich mit Schlingen aus *sennit* daran festgebunden. »Aber den Sturm hat kein Albatros verursacht.«

»Der Albatros hat uns eine Nachricht von Gott überbracht. Es war eine Warnung vor dem Sturm gewesen. Wir hatten gesündigt.« Jonjen ließ nicht locker.

Sorrys Mutter gab auf. Es hatte keinen Sinn, mit ihrem Vater zu streiten.

»Hoffentlich kriegen wir nicht wieder so einen Sturm«, sagte Sorry. Er war damals sieben gewesen und hatte noch Monate danach Alpträume gehabt.

Besonders im westlichen Pazifik bestand zwischen Juli und Oktober Taifungefahr. Bikini lag zwar außerhalb dieser Zone, aber Sorry konnte sich nicht vorstellen, wovor der Albatros sie sonst hätte warnen können.

Inzwischen waren auch andere Familien zum Kanuschuppen gekommen um zu sehen, was Sorry auf Nantil alles gefunden hatte. Es lohnte sich, am Barriereriff nach Strandgut zu suchen, obwohl die starke Brandung die Gegenstände manchmal an den Korallenfelsen zerschmetterte. Dennoch fand man hier viel mehr als an den Stränden der Lagune, wo nur dann Dinge angeschwemmt wurden, wenn Schiffe in der Lagune vor Anker gelegen hatten.

Häuptling Juda würde alles aufteilen, was Sorry mitgebracht hatte, bis auf den Holzstuhl, den Sorry für seine Familie reserviert hatte. Er konnte sich nicht erklären, warum ihn ein Weißer über Bord geworfen hatte.

Einen Monat später begann die Regenzeit und das war gut so, denn seit dem vergangenen Oktober hatten die Inselbewohner eine Menge Kokosmilch verbraucht. Die tropischen Regenstürme im Sommer waren häufig wahre Sintfluten, die aus tief liegenden, dunklen Wolkenmassen auf das Atoll niedergingen.

Der erste Regenguss jedoch war eher sanft und wie immer liefen die Menschen von Bikini nach draußen um das Wasser in allen möglichen Gefäßen aufzufangen. An diesem Abend lauschte Sorry dem wunderbaren Plätschern der Regentropfen auf dem Strohdach.

Der erste richtige Sturm in diesem Jahr kam erst ein paar Wochen später und brachte noch mehr wertvolles Regenwasser. Allerdings ging er mit Blitz und Donner einher, was für die nördlichen Marschallinseln sehr ungewöhnlich war. Die Windböen rüttelten an den Hütten und peitschten den Regen hinein und die Zisternen liefen über.

Sorry konnte ziemlich genau sagen, wann ein heftiger Sommersturm bevorstand, denn dann war es meist ganz heiß und auf der Lagune bildeten sich Wellen, obwohl es völlig windstill war. Bald darauf verschwand die Sonne hinter einem Dunstschleier, der Himmel färbte sich blau und schwarz und das Geräusch der Brandung nahm eine tiefe und bedrohliche Note an.

Normalerweise hörte die Regenzeit mit einem letzten Sturm Anfang November auf und dann gab es bis zum nächsten Juli höchstens ein paar leichte Schauer, die kaum den Sand benetzten. Unter den warmen Strahlen der Sonne war die Insel im Nu wieder trocken.

In diesem Jahr fegte kein Taifun, von Westen kommend, über das Atoll. Vielleicht hatten der Albatros und der Tournefortia-Baum sich ja doch geirrt.

Im Jahr 1943 begann auf einer lang gestreckten Hochfläche in den Jemez Bergen bei Santa Fe, New Mexiko, der Bau der ersten Atombombe. Von Anfang an war das Labor in Los Alamos der am schärfsten bewachte und am strengsten geheim gehaltene Ort der USA.

9

Zwei Monate nach Sorrys Begegnung mit dem Albatros kam sein Onkel Abram Makaoliej unerwartet in die Lagune gesegelt. Ganz alleine hatte der *rikorân* in einem fünfeinhalb Meter langen Auslegerkanu die gefährliche Reise von der 270 Kilometer entfernten Insel Eniwetok hinter sich gebracht. Er war so lange unterwegs gewesen, dass Sorrys Mutter schon gedacht hatte, ihr Bruder sei tot.

Zusammen mit seiner persönliche Habe hatte Abram in einem Segeltuchbeutel Spiele der Weißen und andere Geschenke für die Familie mitgebracht. Außerdem hatte er eine Gitarre dabei, die er in einen gelben Regenmantel gewickelt hatte.

»Soso! Ihr habt mich also schon für tot gehalten!«, rief er, während er wie ein Schauspieler im nassen Sand der Lagune stand. »So leicht sterbe ich aber nicht!«

Abrams Grinsen war fröhlich wie die Sonne, und seine Haare waren lockig und so schwarz wie Seeigel.

Sorry stand mit offenem Mund da.

Abram hatte auf einem amerikanischen Handelsschiff angeheuert und es im Hafen von Eniwetok ohne Erlaubnis verlassen. Das Kanu hatte er sich »ausgeliehen«. Für beides hätte er sofort verhaftet werden können, aber er schien sich nicht die geringsten Sorgen deswegen zu machen.

Sorrys Mutter redete oft von ihrem Bruder. »Er ist ein wilder Kerl«, sagte sie dann, »und Angst kennt er nicht.«

»Ein verrückter Bursche«, hatte Jonjen lachend ergänzt und den Kopf geschüttelt. »Ich habe einmal gesehen, wie er bei

Lomlik unter Wasser mit einem großen Oktopus gekämpft hat. Da war er nicht viel älter als du, Sorry.«

Und jetzt stand er also vor ihnen, durchschnittlich groß und durchschnittlich schwer und sehr muskulös. Seine Augen, deren braune Farbe noch dunkler war als die seiner Haut, hatten einen durchdringenden Blick und passten gut zu seinem breiten, strahlenden Grinsen. Er war zweiunddreißig Jahre alt.

»Wo ist Badina?«, wollte er wissen.

Sorrys Mutter schloss die Augen und schluckte. »Er ist tot. Seit vier Jahren schon. Er war mit dem Speer beim Fischen auf dem Barriereriff und kam nicht wieder.«

Abram nahm seine Schwester in den Arm und drückte sie an sich. »Er war ein guter Mann.«

Sorrys Mutter nickte.

»Und wer ist das?«, fragte er dann und sah Sorry an, der mit den Füßen im Wasser scheu am Bug des gestohlenen Kanus stand.

»Das ist unser *manje*, Sorry.« *Manje* bedeutete Ältester.

Abram drückte Sorry fest die Hand, was für Sorry sich so anfühlte, als hätte ihn ein Blitz berührt. »Wir werden uns gut amüsieren, *manje*, du und ich«, versprach Abram.

Lokileni und fast alle anderen Inselbewohner, die nicht gerade beim Fischen waren, kamen jetzt ebenfalls an den Strand. Jonjen hatte sie mit einem lauten, auf seiner Muschel geblasenen *Ah-huu!* herbeigerufen. Schließlich war ein Sohn der Insel lebendig und wohlbehalten zurückgekehrt.

»Und du bist sicher die Schwester von Sorry«, meinte Abram zu Lokileni. »Was für ein hübsches Mädchen.«

Lokileni mit ihren dünnen Beinen und dunklen Haaren hatte ein viel zu großes, verblichenes Frauenkleid an und senkte verlegen lächelnd den Kopf.

Sorry beobachtete, wie Tara den Fremden interessiert musterte. Auch Abrams Blick verweilte auf Tara.

Dann sah er sich um. »Ein paar Hütten und ein paar Palmen mehr«, sagte er, »aber ansonsten hat sich hier nicht viel verändert. Aber was ist das für ein hölzernes Ding da hinten?« Er nickte in Richtung Norden den Strand hinauf.

»Da waren die Japaner drin«, antwortete Sorry.

Abram runzelte die Stirn. »Die waren hier?«

»Ja«, gab Häuptling Juda zu.

»Und ihr habt sie nicht umgebracht?« Abram blickte ungläubig in die Runde.

»Wir haben dran gedacht«, räumte Jonjen ein. »Und wir haben darüber gesprochen ...«

»Wie viele waren es denn?«

»Sieben.«

Abram schnaubte wütend. »Schade, dass ich nicht hier war.« Obwohl Sorry seinen Onkel erst fünf Minuten kannte, war er sich sicher, dass dieser etwas gegen die Japaner unternommen hätte. Vermutlich hätte er einem nach dem anderen die Kehle durchgeschnitten. Abram war kein Feigling.

»Ich bin froh, dass du nicht hier gewesen bist, Abram«, mischte sich Sorrys Mutter ein. »Denn sonst wäre jetzt wohl niemand von uns mehr am Leben.« Sie hatte ihren Bruder immer als einen heißblütigen Menschen bezeichnet, so wie die alten Krieger der nördlichen Marschallinseln.

Abram musste lachen und umarmte seine Schwester. »Ich brauche ein Stück Tuch.«

»Wofür das denn?«, fragte Sorrys Mutter und sah ihn an.

Abram trug ein blaues Hemd, khakifarbene Hosen und braune Lederschuhe. Er war gekleidet wie ein Weißer. »Für das alte Ding.«

»Das alte Ding trägt man hier nicht mehr«, sagte Jonjen. »Höchstens noch zur Arbeit.«

Sie meinten einen Lendenschurz.

Inzwischen schätzte man auch auf Bikini die Kleidung der

Weißen. So trugen einige Männer jetzt sogar japanische Armeehemden, Hüte und Hosen, die sie von den verstorbenen Bewohnern des Holzhauses »geerbt« hatten. Manche von ihnen hatten auch japanische Schuhe an. Alle Mädchen und Frauen trugen zeltartig wirkende, weite Kleider. Die ersten Missionare hatten sie eingeführt, die 1904, als die Marshallinseln noch unter deutscher Herrschaft gewesen waren, auch Bikini besucht hatten. Jetzt trugen die Männer nur noch dann einen Lendenschurz, wenn sie mit dem Kanu zum Auslegen oder Einholen der Netze hinausfuhren oder mit dem Speer auf Fischfang gingen. Auch Sorry hielt das so.

Dennoch bestand Abram auf seinem Lendenschurz. Er habe die Kleidung der Weißen schon viel zu lange getragen, meinte er und fügte lachend hinzu: »Meine edlen Teile sollen es nun mal gut haben. Und zwar Tag und Nacht.«

Als nächstes musterte er die Wipfel der nahe stehenden Palmen und sagte mit leuchtenden Augen: »Ihr habt ja noch Kokosnüsse! Auf Eniwetok hängt keine einzige mehr an den Palmen. Die Bomben und Granaten haben sie alle heruntergeblasen. Es ist Jahre her, seit ich auf einen Baum gestiegen bin und frische Kokosmilch getrunken habe.«

Sorry sah zu, wie Abram Schuhe und Hosen auszog und auf eine schief stehende Palme zulief, die sich besonders leicht besteigen ließ. »Meine Füße sind ja ganz weich geworden!«, rief er beim Klettern herüber.

Er pflückte eine Kokosnuss und warf sie in den Sand. Während er von der Palme wieder herunterkletterte, machte er sich weiter über seine weichen Fußsohlen lustig. »Als Erstes muss ich meine Füße abhärten!«, sagte er. Mit weichen Sohlen bekam man Schwierigkeiten mit der Palmrinde und mit den Korallen.

Überall in den Palmenhainen steckten angespitzte Hartholzstöcke zum Schälen von Kokosnüssen im Sand. Man rammte die Nuss mit der weichen, äußeren Schale auf den Stock und entfernte diese durch eine geschickte Drehung. Nachdem Abram das gemacht hatte, stieß er ein Loch in die Nuss und trank gierig die in ihr enthaltene Milch, bis sie ihm über Kinn und Hals rann.

Um die gesunde Rückkehr von Abram Makaoliej zu feiern, gab es an diesem Abend ein großes Fest, zu dem Abram in seinem neuen Lendenschurz erschien. Die Frauen kicherten, wenn er vor ihnen durch den Sand sauste und ihnen lachend schöne Augen machte. Auch Tara Malolo betrachtete ihn amüsiert, besonders als er auf seiner Gitarre die Lieder der Weißen spielte. Abram konnte auch Englisch.

Sorry musste seinen fremden Onkel immerzu ansehen. Er war tatsächlich in der *ailiñkan* gewesen. Er hatte die andere Welt gesehen! Auf der rechten Seite seines Oberkörpers hatte Abram eine lange, unregelmäßige Narbe, die sich von den Rippen bis hinunter zum Bauch zog. Später einmal wollte Sorry Abram fragen, woher er die Narbe hatte.

Fast die ganze Nacht hindurch wurde gegessen, gesungen und beim Schein der Fackeln getanzt. Zum Rhythmus der Klanghölzer stampften die Füße der Inselbewohner über den Korallensand und Abram klatschte auf seinen Oberschenkeln oder seiner nackten Brust den Takt dazu. Auch sein Lachen war eine Fackel, dachte Sorry. Den alten Traditionen gemäß tanzten Männer mit Männern und Frauen mit Frauen.

Abram Makaoliej war endlich wieder zu Hause.

In Trinity Flats im Staat New Mexiko, einer Wüste, der die spanischen Eroberer den Namen »Jornada del Muerto« – die Reise des Toten – gegeben hatten, wurde am 16. Juli 1945 um 5 Uhr 30 der erste groß angelegte Atombombenversuch durchgeführt. Die Heftigkeit und das Ausmaß der Explosion machte alle Augenzeugen sprachlos. Die Hitze war so groß, dass mehrere Hektar Sand zu Glas verschmolzen.

10

Am nächsten Morgen blieb Abram lange auf seiner Matte liegen, weil er müde von seiner Reise und vom Feiern war. Als er schließlich aufwachte, lief er hinunter zum Strand um ein Bad in der Lagune zu nehmen. Sorry folgte ihm.
Splitternackt plantschte Abram im Wasser, tauchte unter und wieder auf und schüttelte lachend die funkelnden Tropfen aus den Haaren. Er hatte offenbar vergessen, dass nur Mädchen und Frauen in der Lagune schwimmen durften. Die Männer mussten auf der Meerseite der Insel in Vertiefungen im Barriereriff baden. So hatten es die Missionare verfügt. Sorry zögerte, Abram an dieses Gebot zu erinnern. Vielleicht würde es ja jemand anders tun.
Schließlich stand Abram im flachen Wasser auf und sagte grinsend: »Das Wasser fühlt sich noch immer so an wie früher.«
Wie hatte es sich wohl vor fünfzehn Jahren angefühlt?, fragte sich Sorry. Er hatte fast Angst mit Abram zu reden und damit preiszugeben, wie wenig er wusste. Es gab nichts, was er ihm hätte sagen können. Verglichen mit Abram und Tara, dachte Sorry, wusste er überhaupt nichts.
Abram nickte in Richtung Dorf. »Auch wie früher«, sagte er. Im vormittäglichen Schatten der Palmen bereiteten die Frauen das Essen zu, webten Matten und fegten den Boden neben den Hütten oder harkten die mit Korallenkies bestreuten Wege. Ein paar Männer waren draußen auf der Lagune um Thunfisch und Stachelhai zu fangen: Nahrung für

den nächsten Tag. Am Nachmittag würde sich Sorry zu ihnen gesellen.

Andere Männer flickten Netze oder arbeiteten im Kanuschuppen an den Auslegern. Eigentlich waren die Inselbewohner immer mit etwas beschäftigt außer am Sonntag oder um die Mittagszeit.

»Alles wie früher«, sagte Abram wieder und nickte. »Ich finde, wir sollten morgen auf Haijagd gehen.«

Sorry konnte kaum glauben, was er gerade gehört hatte. Abram war noch keine zwei Tage zurück auf der Insel und schon reichte es ihm nicht mehr, nur in der Lagune zu fischen.

»Gerne«, sagte Sorry aufgeregt. »Ich weiß, wo wir einen großen Makohai finden.«

»Der, an den ich denke, ist größer«, erwiderte Abram. »Aber jetzt möchte ich einen Spaziergang machen. Es gibt so viele Erinnerungen, die ich auffrischen möchte.«

Sorry nickte und Abram ging los.

An der nächsten Feuergrube, die der Ijjirik-Familie gehörte, machte sein Onkel Halt. Er stocherte mit einem Stock in den heißen Korallen herum und holte sich eine gebackene Taro heraus. Er aß sie, während er langsam kauend und in Gedanken versunken nach Norden ging. Sorry sah, dass Abram leichte O-Beine hatte. Beim Gehen spannten sich die Muskelpakete an Beinen und Gesäß an. Offenbar hatte sein Onkel auf den Schiffen der Weißen hart arbeiten müssen.

Ja, Abram hätte ohne viel Mühe die japanischen Soldaten umbringen können, dachte Sorry. Er hätte sie mit bloßen Händen erwürgt.

Als Sorry wieder in der heimatlichen Hütte saß, die etwa sechzig Meter den Strand hinauf und jenseits der Straße lag, sagte er: »Morgen früh gehen wir auf Haifischfang.«

»Wer ist ›wir‹?«, wollte seine Mutter wissen.

Sie war gerade dabei, mit einer Nadel, die aus dem langen Flügelknochen eines Wasserläufers bestand, eine Matte zusammenzunähen. Alle Nadeln auf Bikini wurden aus Vogelknochen gemacht. Die jungen Pandanusblätter, aus denen die Matten bestanden, wurden neben dem Feuer getrocknet und dann geflochten. Sorry hatte seiner Mutter schon hunderte Male bei dieser Arbeit zugeschaut. Normalerweise tat sie das zusammen mit den anderen Frauen in einer der Hütten. Manchmal sangen sie dabei Kirchenlieder. Jetzt allerdings saßen nur Tara und Sorrys fast stumme Großmutter neben seiner Mutter und halfen ihr beim Flechten.

»Onkel Abram und ich.«

»Lass ihn lieber alleine losziehen«, riet ihm seine Mutter.

Yolo nickte und Tara sah Sorrys Mutter an.

»Nein, nein ...«, wandte Sorry erschrocken ein.

»Hat er dir erzählt, warum er so rasch auf Haifischjagd gehen will?«

Sorry schüttelte den Kopf.

Mutter Rinamu hörte zu arbeiten auf. »Vor ungefähr fünfzehn Jahren hat Abram beim Fischen vor dem Barriereriff von Rojkora mit dem Speer einen Tigerhai erwischt. Doch irgendwie hat sich das Seil der Harpune um seinen Fußknöchel gewickelt und er wurde aus dem Kanu in die Tiefe gezogen. Wenn er dabei sein Messer verloren hätte, wäre er heute nicht mehr am Leben. Er konnte gerade noch die Harpunenleine durchschneiden, aber dann griff der Hai ihn an. Die Narbe an Abrams rechter Seite stammt von diesem Tigerhai. Abram wäre damals fast gestorben. Und er sagte, dass er diesen Hai eines Tages töten werde.«

»Er hat die ganze Zeit darauf gewartet?«

»Ich glaube schon. Das ist typisch für Abram.«

»Und er denkt wirklich, dass der Tigerhai noch dort ist?«

Vielleicht war es ja das Schicksal gewesen, das Onkel Abram nach Hause gebracht hatte? Vielleicht konnte er den Tod von Badina Rinamu rächen?

Sorrys Mutter zuckte mit den Schultern und lachte. »Das kann durchaus sein. Abram wird es schon herausfinden.«

»Ich begleite ihn«, beschloss Sorry.

Seine Mutter nickte. »Ein Mann, der ganz alleine von Eniwetok bis hierher gesegelt ist, wird schon auf dich aufpassen können.«

Tara lächelte und nickte ebenfalls. »Vermutlich«, sagte sie.

Sorry war schon tausende Male fischen gewesen. Mit der Angel, mit der Schleppangel, mit dem Speer oder mit dem Netz – er hatte damit angefangen, sobald er laufen konnte. Auf Jagd nach einem Tigerhai war allerdings noch niemand von der Insel gegangen. Diese Haie griffen sogar Kanus an. Doch Onkel Abram hatte keine Angst.

In dieser Woche wohnte Tara wieder bei den Rinamus.

»Ich habe gesehen, wie du gestern Abend meinen Onkel angesehen hast«, sagte Sorry.

»Ich glaube, wir haben ihn gestern Abend alle angeschaut, oder?«

»Aber du hattest einen besonderen Blick ...«

Tara lachte nur und schüttelte den Kopf.

»Doch, den hast du gehabt!«

»Er ist ein stattlicher Mann und er hat ein wunderschönes Lächeln.«

Ihr eigenes Lächeln sagte noch mehr als ihre Worte.

Im Juli 1945 stach der Kreuzer USS *Indianapolis* mit Teilen der Atombombe *Little Boy* von San Francisco aus in See. Die streng geheime Fracht wurde nach Tinian gebracht, einer Insel der Marianen-Gruppe, auf der es einen Stützpunkt für Langstreckenbomber gab.

11

Sorry und Abram zogen das Auslegerkanu aus Eniwetok aus dem Bootsschuppen und schoben es ins Wasser. Dann setzten sie das Segel und steuerten einen südlichen Kurs in Richtung Bokantuak und Eomalan. Sie umrundeten Rojkora und verließen die Lagune um zum Barriereriff zu gelangen, wo sie an dem steilen Unterwasserabhang, der fast senkrecht in die Tiefen des Ozeans abfiel, nach dem Tigerhai Ausschau halten wollten.

Jetzt, ein paar Minuten nach Sonnenaufgang, wehte ein leichter, aber steter Wind und das Auslegerkanu mit dem Lateinsegel bahnte sich mit Leichtigkeit seinen Weg durch die Wellen. Während sie so dahinglitten, schliff Abram die Stahlspitze der Lieblingsharpune von Sorrys Vater mit einem Stein. Das Zisst, Zisst, Zisst klang angenehm rhythmisch und mischte sich mit dem Lied des Wassers und dem leisen Summen des Windes im Segel.

»Mutter hat mir von dem Tigerhai erzählt.«

Abram hob seinen Blick von der glänzenden Harpunenspitze.

»Vielleicht hat ihn ja jemand anders inzwischen in den Fischhimmel geschickt, aber ich habe da so meine Zweifel. Nicht diesen Hai. Tigerhaie sind genauso schlimm wie der große, weiße Hai in kälteren Gewässern. Beide sind Killer.«

Sorry nickte. Jonjen hatte einmal gesehen, wie vor der Insel Lokwor ein Tigerhai einen Mann zerfleischt hatte. »Wie groß war er denn, als er dich gebissen hat?«

»Zwei Meter vielleicht. Er war noch jung«, antwortete

Abram nachdenklich. Dann meinte er lachend:»Aber er hat mich nicht Maß nehmen lassen.«

»Wenn er noch lebt, wie groß ist er denn dann heute?«

»Drei bis dreieinhalb Meter, würde ich sagen. Vielleicht auch länger.«

Sorry hatte schon zwei bis zweieinhalb Meter lange Haie gesehen. Die jungen hatten dunkle Streifen, aber bei den Alten war die Haut grau gesprenkelt. Der Bauch der Tigerhaie war immer völlig weiß. Ihre Schnauze war nicht so spitz wie die eines Makohais und ihr Maul zog sich von einer Seite ihres stumpfen Kopfes bis zur anderen und war voller spitzer Zähne. Allein der Anblick eines Tigerhais genügte um Schwimmer oder Kanufahrer in panische Angst zu versetzen.

»Bleiben denn Tigerhaie immer am selben Ort?«

»Ich glaube schon«, antwortete Abram. »Warum fragst du?«

»Meiner Meinung nach hat ein Tigerhai meinen Vater umgebracht. Wir haben nirgendwo am Riff eine Spur von ihm gefunden.«

»Das deutet allerdings auf einen Tigerhai hin.«

Sorry hing einen Augenblick lang seinen eigenen Gedanken nach. »Und wenn du den Hai noch einmal harpunierst?«, fragte er dann.

Abram gluckste. »Diesmal passe ich gut auf, dass sich die Leine nicht um meinen Fuß wickelt, da kannst du dir sicher sein. Diesen Fehler mache ich kein zweites Mal. Und ich möchte, dass du am Heck bleibst und die Füße hochlegst, wenn ich ihn treffe.«

Die Harpunenleine lag aufgerollt am Bug. Es war eine feste, neue Leine, die aus dem Fundus der Japaner stammte.

»Ich hoffe, wir finden ihn«, sagte Sorry.

Abram nickte und fuhr mit dem Daumen über die Harpunenspitze um zu prüfen, wie scharf sie war. Ein hauchdünner Schnitt in seiner Haut zeigte an, dass sie scharf genug war.

»Onkel Abram, hast du im Krieg einen Menschen getötet?«
»Ich? Nein. Ich bin ja nur auf Handelsschiffen gefahren, nicht auf Kriegsschiffen. Wir hatten zwar Kanonen an Bord um auf Unterseeboote zu schießen, aber die wurden von speziell ausgebildeten Kanonieren bedient.«
»Haben die Unterseeboote dich denn angegriffen?«
»Ja, das ist mir auf zwei Schiffen passiert.«
»Und haben sie euch getroffen?«
»Ja, einmal mit Torpedos.«
»Sind dabei Männer umgekommen?«
»Ja, fast die ganze Mannschaft, zweiundzwanzig Leute. Ich hatte Glück, Sorry.« Abram wirkte so, als wolle er die Unterhaltung eigentlich beenden, aber dann sprach er doch weiter: »Krieg ist etwas Schreckliches. Einer der Gründe, weshalb ich mein letztes Schiff in Eniwetok verlassen habe, war der, dass ich nicht länger in einem Krieg sein wollte. Ich hatte die Schnauze voll davon. Was ich getan habe, war falsch, aber ich habe es nun einmal getan. Ich habe darüber nachgedacht, wie viel Zeit mir vielleicht noch hier auf Erden verbleibt, und dann habe ich mich entschlossen das Schiff zu verlassen.« Sein Gesicht sah düster aus.

Nach ein paar Minuten der Stille, in denen nur das Plätschern des Wassers am Rumpf des Kanus, das Stöhnen des Segels und das Knarzen des Großbaums am Mast zu hören waren, stellte Sorry die Frage, die ihm schon lange im Kopf herumgegangen war: »Wie ist es in der anderen Welt?«

Abram blickte eine Weile auf das funkelnde Meer hinaus und antwortete dann: »Gut und schlecht zugleich, Sorry. Ich habe große Städte gesehen, aber die haben mir nicht gefallen. Da sind zu viele Menschen, zu viel Gedränge und viel zu viel Lärm. Städte sind schmutzig. Sie riechen nach Autos und Fabriken. Dir würden sie bestimmt auch nicht gefallen.«

»Was sind Fabriken?«, fragte Sorry.

»Das sind große Gebäude mit Schornsteinen, in denen Menschen Dinge herstellen.«

Sorry hatte Bilder von Fabriken in seiner japanischen Zeitschrift gesehen. »Aber eines Tages muss ich trotzdem dort hin, Onkel Abram. In diese andere Welt.«

»Das solltest du auch«, erwiderte Abram und nickte. »Aber dann wirst du genau wie ich wieder hierher zurückkehren. Ich jedenfalls werde den Rest meines Lebens auf Bikini verbringen. Ich will hier sterben und begraben werden. Ich habe viele andere Inseln gesehen, in Meeren, die man Karibik oder den Indischen Ozean nennt. Keine von ihnen war so schön wie die unsere ...«

»Meinst du wirklich?«

»Ja. Ich habe in der anderen Welt alles gesehen, was ich sehen wollte. Die Leute sind gierig. Sie arbeiten wie besessen und tun die dümmsten Dinge. Sie tun sich gegenseitig weh. Sie sind nicht in der Lage zu teilen. Ihr Kamm ist ihr Kamm. Sie würden nicht einmal auf die Idee kommen ihren Kamm mit jemand anderem zu teilen. Ihr Hut ist ihr Hut. Sie würden niemals auf die Idee kommen jemand anderem ihren Hut zu geben.«

Für Sorry war das schwer zu verstehen. Wenn er eine schöne Muschel fände und Lokileni würde sie gefallen, dann würde er sie ihr auf der Stelle geben.

»Aber die amerikanischen Soldaten haben uns etwas gegeben«, sagte er. Nach der Befreiung der Insel waren sie noch Dutzende von Malen mit Wasserflugzeugen oder Schiffen gekommen und hatten Kleidung, Nahrung und Süßigkeiten gebracht. Sie hatten Zigaretten gegen Pandanusmatten, Körbe und Muschelketten getauscht. Außerdem hatten sie einen Zahnarzt und einen Augenarzt geschickt und sie hatten Medikamente und Bücher gebracht, die in der Sprache der Marshallinseln geschrieben waren.

»Das ist auch ihre Pflicht«, sagte Abram. »Schließlich stehen die Atolle jetzt unter ihrer Kontrolle und die werden sie nicht so schnell wieder aufgeben. Es kann gut sein, dass ihre Flagge für immer auf Bikini wehen wird.«

»Magst du sie denn nicht?«

Onkel Abram zuckte mit den Achseln. »Wir müssen vorsichtig sein. Die Deutschen und die Japaner haben uns kein Glück gebracht. Und jetzt kommen die Amerikaner und schenken uns Süßigkeiten und Zigaretten, aber sie nehmen uns auch unser Land weg. Juda muss ihnen deutlich sagen, dass wir nicht käuflich sind.«

Sorry hatte noch nie jemanden so selbstbewusst reden gehört wie seinen Onkel. Aber schließlich hatte Abram lange in *ailinkan* gelebt und hatte sich dort vieles selbst beigebracht. Er war ein weiser Mann wie Jonjen. Abram kannte sich aus. Die Insel konnte sich glücklich schätzen, dass es auf ihr Menschen wie Onkel Abram, Tara Malolo und Jonjen gab.

Sobald Sorry und sein Onkel den Tiefseegraben am Rojkora Riff erreicht hatten, kniete sich Abram mit der Harpune in der Hand in den Bug des Kanus. Sorry steuerte, indem er das Ruder unter seine rechte Achselhöhle klemmte und hängte eine Kette mit Kokosnussschalen an einer Seite des Kanus ins Meer. Die oberste Kokosnuss schwamm an der Wasseroberfläche, während die anderen hohl gegen den Bootsrumpf klapperten. Das Geräusch lockte neugierige Haie aus der Tiefe herauf. Sorry war stolz darauf, dass er für Abram das Kanu steuern und die Rasseln halten durfte.

Eine Weile kreuzten sie vor dem Barriereriff hin und her. Das Meer hier draußen war an diesem Tag fast genauso ruhig wie das Wasser innerhalb der Lagune. Lange, glatte Wellen glitten glitzernd unter dem Kanu hindurch und das Klappern der Kokusnüsse, das sachte Schlagen des Segels und das gedämpfte Rauschen der Brandung auf dem Riff waren angenehme Geräusche.

Abram starrte konzentriert ins blaugrüne Wasser.

Sorry beobachtete ihn und dachte darüber nach, wie sich sein Leben in nur zwei Tagen völlig verändert hatte. Abram hatte versprochen ihm beizubringen, wie man Englisch sprach und las. Er würde ihm zeigen, wie die Weißen spielten und wie sie auf der Gitarre Musik machten. Bis gestern hatte Sorry all die Geschichten über Abram Makaoliej nie so recht geglaubt, aber das war jetzt ganz anders.

»Na, komm schon ...«, murmelte Abram auf einmal.

Sorry blickte über die Seite des Kanus und erkannte im sonnenhellen Wasser, wie der dunkle Schatten eines Hais unter dem Boot vorbeiglitt.

»Das ist ein Tigerhai, aber er ist zu klein«, meinte Abram. »Beweg weiter die Kokusnüsse.«

Sorry wusste, dass Fische genauso gut hören wie riechen können. Was sie hören, macht sie oft neugierig. Besonders für große Fische waren Geräusche oft besser als jeder Köder.

»Da ist noch einer, aber auch der ist zu klein«, meldete Abram, nachdem er sich über den Rand des Kanus gelehnt und in die Tiefe gespäht hatte. Der zweite Hai, ebenfalls ein ziemlich junger, war bestimmt zwei Meter lang und kam dichter an das Kanu heran als der erste. Er steuerte das Geräusch an und tauchte dann wieder ab.

»Der *jimman* ist irgendwo da unten. Ich spüre ihn«, sagte Abram. »Schüttle die Kokusnüsse noch stärker.«

Sorry griff nach der Schnur und schlug die leeren Kokusnüsse mit Schwung gegen die Wand des Kanus.

Nach einer kleinen Ewigkeit sagte Abram ganz leise: »Da kommt er.«

Als Sorry sich aus dem Kanu beugte, blieb ihm fast der Atem stehen. Was auf einmal neben und unter ihnen schwamm, war mit vier bis fünf Metern Länge fast so groß wie das Kanu: ein riesiger, grau gefleckter, alter Tigerhai.

Onkel Abram hatte sich inzwischen hingestellt, die Knie an den Ausleger gestemmt und den Oberkörper leicht nach vorne geneigt. Er zielte mit der Harpune ins Wasser und war bereit sie jederzeit loszuschleudern. »Er ist es, Sorry. In seinem Rücken steckt immer noch die Spitze meines Speers.«

Der Tigerhai schwamm neben ihnen her und schien sie zu beobachten. Er befand sich etwa eineinhalb Meter unter der Oberfläche im glasklaren Wasser und bewegte sich genauso schnell wie das Kanu. Sein Leib war so massig, dass Abram ihn mit beiden Armen nicht hätte umfassen können.

Lange zielte Abram mit der Harpune auf den großen Rücken, und Sorry wartete ungeduldig darauf, dass ihre Spitze sich endlich in das Fleisch des Fisches bohrte, dass die aufgeschossene Harpunenleine ausrauschte und dass das Monstrum blutend seinen ersten Ausbruchsversuch unternahm und das Kanu wie eine Möwenfeder hinter sich herzog. Es war gut möglich, dass der Hai sie kilometerweit aufs Meer hinausschleppte.

Sorry schlug das Herz bis in den Hals. *Jetzt, Onkel Abram, jetzt...* dachte er, aber er sagte nichts.

Entschloss sich der Tigerhai plötzlich dazu, das zerbrechliche Kanu anzugreifen anstatt davonzuschwimmen, würde das für Abram und ihn das Aus bedeuten. Der Hai würde sie mit seinem Schwanz halb tot schlugen und seine Zähne würden ihnen den Rest geben.

Sorry fragte sich, ob sein Onkel durch die Größe des Hais vielleicht eingeschüchtert war.

Abram harrte immer noch mit angespannten Arm- und Beinmuskeln aus.

Dann schließlich sah er Sorry an, ließ die Harpune sinken und setzte sich mit einem seltsamen Gesichtsausdruck ins Kanu.

Er legte die Harpune auf den Boden. Die Jagd war zu Ende.
Als Sorry wieder ins Wasser blickte, war der fünf Meter lange
Tigerhai verschwunden. Sein Onkel hatte genügend Zeit
gehabt ihm seine Harpune in den Leib zu rammen. Warum
hatte er es nicht getan?

Nach einer Weile begann Abram zu sprechen: »Ich konnte
einfach nicht, Sorry. Nach all den Jahren ist dieser Hai immer
noch am Leben. Er ist alt geworden. Hast du meine Speer-
spitze in seinem Rücken gesehen? Er hat sie die ganzen Jahre
über in Ehren mit sich herumgetragen. Er hat mir meine
Narbe zugefügt und ich ihm die seine. Wir sind quitt.«

Sorry verstand das nicht. Da waren sie nun den ganzen langen Weg bis nach Rojkora gesegelt, das über neun Kilometer
von Bikini entfernt lag, und Abram hatte seine Harpunenspitze so scharf geschliffen, dass er damit Holz hätte schnei-
den können. Und dann war auch noch der Riesenhai ganz
nahe ans Kanu gekommen. Was war nur los? War Abram
plötzlich zum Feigling geworden?

Abram ahnte, was in Sorry vorging und lächelte. »Eines
Tages wirst du das verstehen«, sagte er.

Auf dem Rückweg sprachen sie nicht mehr über die Sache.
Sie sprachen überhaupt sehr wenig. Nur einmal bat Abram:
»Erzähl mir etwas über Tara Malolo.«

Sorry berichtete seinem Onkel alles, was er über die Lehrerin wusste.

»Sie scheint sehr nett zu sein«, meinte Abram.

Sorry stimmte ihm zu.

Danach blieb Onkel Abram für den Rest der Fahrt schweigend im Bug des Kanus sitzen. Er legte den Kopf auf seine
Knie und schlief sogar ein bisschen.

Als Sorry heimkam, färbte seine Mutter vor dem Haus gerade kleine Tischmatten mit Beerensaft. Sorry erzählte ihr, was passiert war.

Sie blickte hinaus auf die von den Segeln der heimkehrenden Kanus übersäte Lagune und wirkte so, als wäre sie kurz davor, einen Entschluss zu fassen. Dann stand sie auf und sagte: »Komm, machen wir einen Spaziergang.«

»Komm, machen wir einen Spaziergang« war auf der Insel eine gebräuchliche Redewendung, mit der man andeutete, dass man sich unter vier Augen unterhalten wollte, dass man dem anderen etwas Besonderes und Wichtiges mitzuteilen hatte.

Hinter den Hütten der Familie Ijjirik, wo die anderen sie nicht mehr hören konnten, sagte Sorrys Mutter dann: »Ich werde das merkwürdige Gefühl nicht los, dass mein Bruder nach Hause gekommen ist um zu sterben.«

Natürlich entsprach es der Tradition der Marshallinseln, dass man auf seiner Heimatinsel starb. Auf der Reise nach Rojkora hatte Abram ja auch gesagt, dass er auf Bikini sterben wolle. Hatte er damit etwa gemeint, dass das bald sein würde?

Sorry war verblüfft. Abram sah doch so gesund aus.

»Das Erste, was er hier tut, ist seine alte Rechnung mit dem Tigerhai zu begleichen ...«

Sorry nickte.

»Abram hat eine große Dose mit Tabletten mitgebracht. Ich kann zwar nicht lesen, was auf dem Etikett steht, aber ich weiß, dass sie aus London stammen. Eine kleinere Dose trägt er immer in der Hosentasche mit sich herum.«

Abram krank? Heimgekommen um zu sterben? Sorry hatte Mühe das zu glauben.

»Hast du ihn schon darauf angesprochen?«

Mutter Rinamu schüttelte den Kopf und runzelte die Stirn. »So etwas tut man nicht. Das ist viel zu persönlich.« Dann fügte sie noch hinzu: »Und dass du mir mit niemandem darüber sprichst. Vielleicht täusche ich mich ja ...«

Sorry nickte. Er würde schweigen. Aber er wusste, dass er sich von nun an Sorgen machen würde.

Am 6. August 1945 warf der amerikanische B-29-Bomber *Enola Gay* die Bombe *Little Boy* über der japanischen Stadt Hiroshima ab. Jedes Gebäude im Umkreis von vier Kilometern um die Explosionsstelle herum wurde zerstört. Es gab schätzungsweise 200.000 Tote, inklusive derjenigen, die an den Folgen der Strahlung starben.

12

Ein paar Tage nach seiner Rückkehr hatte Onkel Abram damit begonnen, jeden Abend die Nachrichten des amerikanischen Soldatensenders auf Kwajalein zu hören und sich dabei Notizen zu machen. Er hatte zu diesem Zweck das leistungsstarke Radio der Japaner im Holzhaus repariert und den kleinen benzinbetriebenen Generator wieder hergerichtet, der den Strom dafür lieferte. Nun war Abram schon über ein Jahr lang wieder auf Bikini und machte es immer noch so. Die Nachrichten waren auf Englisch und Onkel Abram erzählte Sorry, dass er auf diese Weise die Sprache erlernt habe. Er hatte einfach Radio gehört. Das funktionierte sehr gut. Abram hatte damit auf den Handelsschiffen angefangen. Immer, wenn er dienstfrei gehabt hatte, war er in den Funkraum gegangen, hatte Radio gehört und sich von den Funkern erklären lassen, was die einzelnen Worte bedeuteten und wie man sie schrieb. Sorry beschloss es ebenso zu machen – er wollte zuhören und Onkel Abram nach den Worten fragen, die er nicht verstand.

Und so ging er jeden Tag bei Sonnenuntergang zum Versammlungsplatz, wo fast das ganze Dorf im Kreis zusammensaß und begierig Abram lauschte, der erzählte, was er in den Nachrichten erfahren hatte. Mütter und Kleinkinder kamen ebenso wie Männer und Frauen in Jonjens und Yolos Alter. Niemand brauchte mehr darauf zu warten, dass ein Kanu aus Eniwetok oder Rongelap Nachrichten aus *ailiñkan* brachte. Die Welt draußen war für die Inselbewohner in greifbare Nähe gerückt.

Anfangs hatten alle das erstaunliche Radio mit eigenen Augen sehen wollen und sich in und vor dem kleinen Holzhaus gedrängt. Doch bald war ihnen klar geworden, dass sie kein einziges Wort der Nachrichten verstanden und Häuptling Juda hatte verfügt, dass die Inselbewohner sich nach den Nachrichten am Versammlungsort einfinden und sich von Abram in der Sprache der Marshallinseln das erzählen lassen sollten, was der Nachrichtensprecher auf Englisch gesagt hatte. Danach diskutierten sie meist stundenlang über das Gehörte.

Oft begleitete Sorry seinen Onkel, wenn dieser zum Nachrichtenhören ins Holzhaus ging.

An diesem Abend schaltete Abram das schwarze Gerät mit den Drehknöpfen aus Messing ein und wartete ein paar Sekunden, bis sich die Röhren aufgewärmt hatten und die Stimme des Sprechers zu hören war. Auf einmal machte sein Körper einen Ruck nach vorne. Abram riss die Augen auf und legte die Stirn in Falten. Seine schwieligen Hände packten den Radiotisch so fest, dass die Knöchel ganz weiß wurden.

»Was ist denn los, Onkel Abram?«, wollte Sorry wissen.

Abram brachte seinen Neffen mit einer Handbewegung zum Schweigen und schüttelte langsam den Kopf, als wolle er die Nachrichten Lügen strafen. Dann notierte er etwas.

»Was ist denn?«, fragte Sorry noch einmal.

Abram machte eine unwirsche Bewegung mit der Hand und forderte Ruhe.

Ein paar Minuten später wandte er sich mit ernstem Gesicht an Sorry. Langsam, fast ungläubig sagte er: »Die Amerikaner haben eine schreckliche, neue Bombe erfunden und sie heute morgen über der japanischen Stadt Hiroshima abgeworfen. Die Japaner melden, dass Tausende Menschen gestorben sind. Die ganze Stadt ist kaputt. Und zwar von einer Bombe. Einer einzigen Bombe ...«

Aus den Gesprächen über den Krieg, die seit drei Jahren auf der Insel geführt wurden, wusste Sorry, was eine Bombe war. »Was für eine Art Bombe ist das?«, wollte er wissen.

»Eine Atombombe ...«

Atom? »Was ist das?«

Onkel Abram schüttelte den Kopf. Er konsultierte seinen Zettel und las vor, während er immer wieder verwirrte Pausen machte: »Sie funktioniert ohne Schießpulver ... sie basiert auf Kernspaltung ... was auch immer das sein mag ... sie verbreitet eine Hitze von über hundertsechzigtausend Grad ... die Rauchwolke ist tausendfünfhundert Meter hoch gestiegen ... Menschen sind in Sekundenbruchteilen zu Asche zerfallen ... wer nicht auf der Stelle gestorben ist, wurde blind ... das klingt, als könnte man mit dieser Bombe die ganze Welt zerstören ...«

»Eine einzige Bombe hat all das getan? Hat Tausende von Menschen getötet ...?«

»Ja, aber nicht einmal der Sprecher im Radio konnte erklären, wie so etwas möglich ist. Er hat nur gesagt, dass diese Bombe ein Staatsgeheimnis war, von dem nur einige wenige Menschen gewusst haben.« Abram hielt inne. »Der amerikanische Präsident hat gesagt, dass sie die Bombe nur deswegen abgeworfen haben, um die Japaner zur Kapitulation zu zwingen ...«

»Und haben die Japaner kapituliert?«

»Das weiß ich nicht.« Abram saß starr da und verstummte.

Ein paar Minuten später erfuhren auch die Einwohner von Bikini, die auf ihren Matten rings um den Versammlungsplatz saßen, von der Atombombe.

Die stille Lagune wurde von der gerade untergegangenen Sonne noch in ein warmgelbes Licht getaucht. Golden leuchteten auch die Unterseiten der im Westen aufgetürmten Wolken. Die Luft stand still und über der kleinen Insel lag vollständiger Frieden. Sorry konnte nicht wirklich verstehen, was in Hiroshima passiert war. Keiner der Anwesenden konnte das, Abram mit eingeschlossen.

Beim *kejota*, beim Abendessen, fragte Sorry Tara:»Glaubst du, dass die Amerikaner glücklich über den Tod all der Menschen in Hiroshima sind?« Sein Gesicht und seine Augen spiegelten seine Verwirrung wieder. Er konnte es immer noch nicht fassen, dass so viele Menschen von einem Augenblick auf den anderen ohne jede Vorwarnung ihr Leben verloren hatten.

Auf Sorrys Frage hin runzelte Tara die Stirn und sagte schließlich langsam:»Wenn dein Sohn oder deine Tochter, dein Bruder oder deine Schwester von den Japanern getötet worden wären, dann wärst du womöglich auch nicht so unglücklich.«

»Krieg ist immer eine ganz persönliche Angelegenheit«, sagte Abram. »Als die Amerikaner die Marshallinseln befreiten, haben sie auch ein paar Bewohner von Eniwetok, Kwajalein, Jaluit, Roi und Namur getötet. Diese Menschen waren keine Soldaten. Trotzdem mussten sie sterben.«

»Auf Majuro auch«, ergänzte Tara. Dort war sie aufs College gegangen.

Sorry hatte den Krieg nie für eine persönliche Angelegenheit gehalten. Er wusste, dass Soldaten sich gegenseitig umbrachten ohne einander zu kennen, aber weiter hatte er darüber nicht nachgedacht. Er hatte nie daran gedacht, dass die Soldaten auch Familien hatten.

»Die meisten Toten in Hiroshima waren keine Soldaten, oder?«, wollte er dann wissen.

»Ziemlich sicher nicht«, antwortete Tara.

»Sie waren wie wir«, fügte Sorrys Mutter hinzu.

Wie wir, dachte Sorry. *Sie hatten genauso unschuldig wie wir zusammengesessen. So wie Jonjen und Yolo, Lokileni und*

Abram und Tara Malolo und wie meine Mutter und ich. Und von einer Minute zur anderen waren sie alle tot. Bei lebendigem Leibe verbrannt oder in Stücke gerissen.

»Früher, als wir noch unsere Beile aus den großen Muscheln gemacht haben, war es besser«, meinte Jonjen. »Damals wurde noch Mann gegen Mann gekämpft. Da gab es keine Bomben.«

Abram pflichtete ihm bei. »Ja, Großvater, damals war es wirklich besser. Sehr viel besser ...«

Niemand wollte über die Toten von Hiroshima noch weiter sprechen und um das Kochhaus wurde es auf einmal ganz still.

Nach dem Essen machte Sorry einen Spaziergang am Barriereriff entlang. Manchmal hatte er sich auf solchen Spaziergängen seinem Vater sehr nahe gefühlt und seine Fragen an ihn in den Lärm der Brandung und des Windes hinausgebrüllt. An diesem Abend jedoch gab es keine Fragen, die sein Vater hätte beantworten können.

Als Sorry später auf seiner Schlafmatte lag, träumte er von der Explosion am Himmel und dem Feuerball, den Abram geschildert hatte, und wachte schreiend auf.

Drei Tage später berichtete Abram, dass man eine weitere dieser schrecklichen Bomben abgeworfen habe, diesmal auf die japanische Stadt Nagasaki. Sie hatte schätzungsweise 140.000 Menschen das Leben gekostet.

Sorry verstand nicht, warum schon wieder so viele unschuldige Menschen hatten sterben müssen.

Am 14. August meldete Abram, dass Japan kapituliert habe. Sorry stimmte in die Freudenrufe der anderen mit ein.

Der Weltkrieg war endlich vorbei.

Buch II

Am Scheideweg

Bereits im Oktober 1945 hatte es unter der Bezeichnung *Operation Crossroads* – Scheideweg – geheime Pläne für die Atombombentests in der Nachkriegszeit gegeben. Offiziere der für Spezialwaffen zuständigen Abteilung des Operationsstabs der Marine machten sich auf die Suche nach einem Ort, über dem man eine Atombombe abwerfen, und einen weiteren, an dem man eine Atombombe unter Wasser zünden konnte. Ein paar Tage vor Weihnachten 1945 beschloss die US Navy, dass die vierte und fünfte Atombombe in der Geschichte der Menschheit in der Lagune von Bikini gezündet werden sollten.

Die Inselbewohner ahnten nicht, dass sie damit über Nacht berühmt werden sollten.

1

Anfang Februar 1946 tauchte ein großes amerikanisches Schiff in der Lagune von Bikini auf und ankerte dort. Es hatte einen merkwürdigen Bug, der Sorry an einen Sturmvogel erinnerte.

Abram schlief noch. In letzter Zeit war er seinem Neffen nicht mehr ganz so lebhaft vorgekommen wie früher. Sorry dachte, dass möglicherweise die Krankheit, wenn es denn eine gab, ihren Tribut forderte. Er hatte das seiner Mutter gegenüber erwähnt und sie teilte seine Meinung.

Obwohl das Schiff kleine Boote zu Wasser ließ, kam niemand an Land. Die Boote schwärmten in verschiedene Richtungen aus. Je länger das im üblichen Marinegrau gestrichene amerikanische Schiff am Horizont lag, desto neugieriger wurden die Inselbewohner. Normalerweise kam, kurz nachdem ein amerikanisches Schiff vor Anker gegangen war, rasch ein Offizier an Land um Häuptling Juda die Ehre zu erweisen.

Sorry beobachtete zusammen mit Lokileni und vielen anderen eine Stunde lang die Manöver des Schiffes und der kleinen Boote. Dann ging er zu Abram und weckte ihn.

»Draußen in der Lagune liegt ein Schiff der amerikanischen Marine, aber es hat noch kein Boot zu uns geschickt«, sagte Sorry.

»Vielleicht sind sie heute einfach nicht so schnell«, entgegnete Abram müde.

Weil Abram englisch sprechen konnte, musste er immer dolmetschen, wenn jemand von der amerikanischen Marine nach

Bikini kam. Wann immer es Probleme oder sonst etwas zu erörtern gab, war Abram der Sprecher der Inselbewohner. Sorry wartete, bis sich Abram seine Hose und ein T-Shirt angezogen hatte, dann schoben sie ein Kanu ins Wasser und fuhren hinaus in die Lagune zu dem fremden Schiff. Die USS *Sumner* hatte an Bug und Heck Geschütze, einen Schornstein und zwei Masten. Abram behauptete, es sei das älteste Schiff der US-Marine, das er jemals zu Gesicht bekommen habe. Abgesehen von den Kanonen wirke es überhaupt nicht wie ein Kriegsschiff.

Abram und Sorry gingen mit ihrem Kanu an der Gangway des amerikanischen Schiffes längsseits und machten dort fest. Der junge Offizier, der Wache hielt, wirkte zunächst erstaunt, dass Abram ihn in fließendem Englisch nach dem Grund für den Besuch des Schiffes fragte.

Dann aber antwortete der Leutnant zur See: »Wir machen ein paar Untersuchungen mit dem Echolot um herauszufinden, wie tief die Lagune ist, und dann sprengen wir die großen Korallenfelsen.«

»Warum denn das?«, wollte Abram wissen. Wenn ich doch nur alles verstehen könnte, dachte Sorry. Er hatte zwar in den letzten beiden Jahren enorme Fortschritte gemacht, aber die beiden Männer sprachen viel zu schnell, als dass er der Unterhaltung hätte folgen können.

»Ganz genau kann ich es Ihnen auch nicht sagen«, gab der Leutnant zu. »Aber vermutlich geht es darum, die japanischen Seekarten auf den neuesten Stand zu bringen. Wir messen die Wassertiefen und beseitigen Hindernisse für die Schifffahrt.«

»Ist das denn wirklich nötig?«

»Ja, ich denke schon«, meinte der Leutnant.

Abram bedankte sich und machte sich mit Sorry auf den Rückweg zum Strand.

Hier wartete bereits Häuptling Juda auf sie um zu hören, was sie herausgefunden hatten. Neben ihm stand eine große Gruppe von Inselbewohnern.

»Meiner Meinung nach führen die etwas im Schilde«, meinte Abram und berichtete, was der Offizier ihm gesagt hatte. »An deiner Stelle, Juda, würde ich versuchen herauszufinden, weshalb sie wirklich hier sind. Schließlich ist das hier immer noch unsere Insel.«

Alle schauten zu dem grauen Schiff hinaus.

»Ich will nicht, dass es Probleme gibt«, erwiderte Juda.

»Aber Juda«, meldete sich Sorry zu Wort, »Abram will doch nur, dass du herausfindest, was die Amerikaner im Schilde führen.«

»Sei still, Junge!«, schnauzte ihn Leje Ljjirik an, der schon immer etwas dagegen gehabt hatte, dass Sorry an den Ratsversammlungen teilnahm.

»Ich bin kein Junge mehr«, gab Sorry zurück. Leje hatte auch Sorrys Vater nie gemocht.

Abram warf Leje einen bösen Blick zu und sagte: »Er hat ein Recht auf seine eigene Meinung.«

»Was du nicht sagst«, meinte Leje.

Die improvisierte Versammlung am Strand löste sich auf.

Am frühen Morgen des dritten Tages, den die *Sumner* im Atoll vor Anker lag, erschütterte eine gewaltige Detonation die stille Lagune.

Weil Abram wieder schlief, ließen Sorry und Lokileni ein Kanu ins Wasser und paddelten zu der Stelle, an der die Fontäne der Sprengung zu sehen gewesen war. Wo vorher ein großer Korallenfelsen gewesen war, schwammen jetzt tote Fische im Wasser. Der Felsen war verschwunden. Kurz darauf war eine weitere Explosion zu hören.

Von diesem Morgen an fuhren vier der großen Beiboote des

Schiffes jeden Tag hinaus in die Lagune und schleppten lange Kabel hinter sich her. Damit suchten sie die Lagune systematisch nach Korallenfelsen ab, die sie auf einer Karte einzeichneten. Den Rest erledigten dann die Sprengtaucher.

Die Amerikaner sprengten nicht nur Felsen, sie setzten auch Bojen, und während ein trockener und heißer Tag nach dem andern verging, sahen die Inselbewohner zudem jeden Morgen ein Landungsboot an ihren Strand kommen, das nach und nach eine Menge Stahlrohre und einige Schweißgeräte heranschaffte.

Sorry und Lokileni kauerten mit den anderen zusammen im Sand und beobachteten misstrauisch, wie aus dem Material ein vierundzwanzig Meter hohes Seezeichen errichtet wurde. Leuchtend blaue Schweißfunken fielen dabei in langen Kaskaden nach unten. Sorry, der noch nie in seinem Leben einen Schweißbrenner gesehen hatte, musste erst Abram fragen, was das war. Die Matrosen, die das Seezeichen errichteten, kletterten wie Affen in dem Gittergerüst herum.

Viele von ihnen waren groß, blond und blauäugig – also ganz anders als Sorry – und ihre weiße Haut war von der pazifischen Sonne gebräunt. Als Sorry ihnen zusah, fühlte er sich klein und unbedeutend und wünschte, er wäre in ihrem Land zur Welt gekommen.

Niemand auf der Insel war auf den Wirbelwind von Aktivitäten vorbereitet gewesen, der von diesem einen Schiff ausging. Die Beiboote rasten mit schäumenden Bugwellen durch die Lagune, und seine Seeleute errichteten einen Turm aus Stahlrohren nach dem andern, wofür sie jeweils ein, zwei Tage brauchten.

Noch immer wusste niemand, was die Leute von der *Sumner* an Land und auf dem blaugrünen Wasser der Lagune wirklich taten. Auch die Matrosen selbst schienen das nicht zu wissen. Einer sagte, die Aktion sei streng geheim.

Abram äußerte eine Vermutung: »Die wollen aus unserer Lagune einen Hafen machen.«

»Dürfen die das?«, fragte Sorry.

Die Amerikaner durften das ohne Juda oder sonst jemanden um Erlaubnis zu fragen. Tara erklärte: »Heute weht hier die amerikanische Flagge, genauso wie früher die japanische und davor die deutsche und vor der deutschen die spanische ... Die können machen, was sie wollen.«

Bikini hatte man ausgewählt, weil hier das Wetter normalerweise gut war. Außerdem gab es in der großen Lagune gute, flache Ankerplätze und auf den Inseln des Atolls ließen sich die nötigen Versorgungseinrichtungen unterbringen. Bikini lag abseits der wichtigen Schifffahrts- und Luftstraßen, aber noch innerhalb der Reichweite der auf einem 1600 Kilometer entfernten Luftwaffenstützpunkt stationierten amerikanischen Langstreckenbomber. Bis zur nächsten größeren Stadt waren es 800 Kilometer.

2

Am zweiten Sonntag im Februar, kurz vor dem Ende des Gottesdienstes, beobachtete Sorry, wie ein Catalina-Flugboot der Navy am Himmel auftauchte und etwa einen halben Kilometer vor der Insel in der Lagune landete. Mit in der Sonne funkelnden Propellern kam es näher heran.

Obwohl Flugzeuge längst nichts Ungewöhnliches mehr auf Bikini waren, liefen alle Inselbewohner neugierig an den Strand um zu sehen, wer da wohl ankam und weshalb. Die Kirche leerte sich.

Bald öffnete sich die Tür des Flugboots, ein gelbes Schlauchboot wurde zu Wasser gelassen, und zwei Männer in khakifarbenen Uniformen kletterten hinein. Dann folgte ein dritter Mann in weißem Hemd und blauer Hose, der offenbar von den Marshallinseln stammte.

Ein zweites Schlauchboot folgte dem ersten, in das zwei weitere Marineangehörige und noch ein Mann von den Marshallinseln stiegen. Kurz darauf kreischten die Außenbordmotoren der Boote durch die sonntägliche Stille. Etwas mehr als sechs Monate waren seit der Bombardierung von Hiroshima und Nagasaki und der Kapitulation der Japaner vergangen und in dieser Zeit waren nur drei oder vier Flugboote nach Bikini gekommen. Die Leute von der Marine waren für ein paar Stunden an Land gegangen, hatten Fotos gemacht und gesagt, dass sie sich nur ein wenig umsehen wollten.

Abram blickte hinaus zu den beiden sich nähernden Schlauchbooten und sagte: »Ich habe ein ungutes Gefühl. Und das seit dem Tag, an dem dieses Schiff da draußen vor Anker gegangen ist. Die Amerikaner interessieren sich auf einmal viel zu sehr für unsere Insel. Die haben irgendetwas vor.«

»Aber was könnten sie denn vorhaben?«, fragte Sorry. Der Krieg war lange vorbei.

»Das werden wir wohl bald erfahren«, antwortete Abram.

Als die Boote anlandeten, ging Häuptling Juda hinunter ans Wasser.

Abram musterte die Insassen des zweiten Bootes und sagte leise »Oho!«. Der Mann von den Marshallinseln trug ein neues, khakifarbenes Marinehemd, Hosen von derselben Farbe und schwarze Schuhe. Er war etwa 60 Jahre alt und hatte graue Haare. Sobald er einen Fuß auf den Sand gesetzt hatte, sagte er zu Juda so laut, dass alle Umstehenden es hören konnten: »Ich bin Jeimata.«

Alle Bewohner von Bikini kannten Jeimata – von der fruchtbaren Insel Ailinglapalap –, aber niemand hatte ihn je zu Gesicht bekommen. Er war der Oberhäuptling der Ralik-Kette, der Herrscher über die nördlichen Marshallinseln; ihm gehörten, so sagte er, alle Inseln, darunter auch Bikini. Warum hatte die amerikanische Marine ihn hierher gebracht?

Alle sahen zu, wie Juda sich verbeugte und Jeimata die Hand schüttelte. Sorry sah sofort, dass Juda Angst vor dem Oberhäuptling hatte. Jeimatas Augen waren wie die eines Makohais und so kalt wie der Ozean in tausend Metern Tiefe.

»Die Marine wird Jeimata für ihre Zwecke einspannen«, sagte Abram leise. »Juda muss vorsichtig sein.«

Aber was wollen sie?, fragte sich Sorry. *Was wollen sie bloß?*

Der älteste Marineoffizier, dessen weiße Haare unter seiner Mütze hervorlugten, gab Juda die Hand und stellte mit Hilfe des Dolmetschers, der im ersten Boot gesessen hatte, die anderen Offiziere vor. Der Dolmetscher selbst hieß Azakel. Er kam aus Kwajalein und war im Unterschied zu den meisten

Bewohnern der Marshallinseln ziemlich mollig. Die Amerikaner mussten ihn recht gut genährt haben, seit sie die Inseln in ihren Besitz gebracht hatten. Er trug eine nagelneue Sonnenbrille, die sicherlich einen Gegenwert von tausend Kokosnüssen hatte.

»Commodore Wyatt möchte gerne ein paar Worte mit dir wechseln, Häuptling Juda«, sagte Azakel. »Commodore Wyatt ist der Militärgouverneur der Marshallinseln. Er ist ein sehr wichtiger Mann.«

Sorry dachte, dass sein Onkel Abram Recht gehabt hatte. Die Amerikaner hatten etwas mit ihnen vor.

Juda nickte und deutete auf einen Platz unter den Palmen.

Während daraufhin alle in diese Richtung gingen, sagte Abram: »Siehst du, Sorry, die Herrschaft über uns ist von den Japanern auf die Amerikaner übergegangen.«

Als die Gruppe unter den Palmen angekommen war, sagte der Gouverneur zu Azakel: »Alle Leute sollen sich hinsetzen.«

Abram wandte sich in der Sprache der Marshallinseln an die Menschen von Bikini: »Die Leute von der Regierung wollen, dass ihr euch setzt, damit sie von oben herab zu euch sprechen können. So etwas haben wir hier schon viel zu lange gehabt. Lasst uns also alle stehen bleiben. Setzt euch nicht hin.«

Azakel sah Sorrys Onkel entsetzt an. Es erstaunte ihn offenbar, dass er Englisch verstand.

Trotz Abrams Aufforderung setzten sich alle bis auf ihn und Sorry demütig hin, so wie sie es in der Gegenwart von Weißen und Würdenträgern der Marshallinseln immer getan hatten. Vor nicht allzu langer Zeit, kurz bevor Sorry zur Welt gekommen war, hatten die Frauen in der Anwesenheit wichtiger Männer auf den Knien herumrutschen müssen.

Abram hatte mit seinen Worten dafür gesorgt, dass über der Versammlung eine Spannung lag wie die Ruhe vor einem Gewittersturm. Sorry sah hinüber zu den anderen Familien.

Mit ausdruckslosen Mienen warteten sie auf die Worte der mächtigen weißen Amerikaner, die das Atoll von den Japanern befreit hatten.

Abram blieb weiterhin stehen und starrte den Gouverneur an. In seinem Blick lag tiefes Misstrauen.

Nach einer Weile erhob sich Großvater Jonjen mit einem leisen Brummen und stellte sich mit hoch erhobenem Kopf neben Abram und Sorry, wo er seinen Stock trotzig in den Sand rammte. Ihm folgte Tara, die ebenfalls den Gouverneur musterte.

Dann endlich sagte der Gouverneur etwas und Azakel übersetzte: »Wisst ihr, was eine Atombombe ist?«

»Ja, das wissen wir«, sagte Juda und schaute dabei zu Abram hinüber. Auch alle anderen blickten Sorrys Onkel an.

Der Gouverneur sprach wieder und Azakel übersetzte: »Wir müssen diese Waffe nun unter anderen Bedingungen testen und haben Bikini für diese wichtigen Versuche ausgewählt.« *Deswegen liegt also die Sumner in der Lagune*, dachte Sorry.

Abram rief: »Nein!«, und alle Leute drehten erneut ihre Köpfe zu ihm hinüber. Er hatte sie mit seinem lauten Aufschrei erschreckt. Abram sah den Gouverneur böse an.

Juda sagte: »Lass Azakel ausreden.«

Daraufhin wandte sich Abram auf Englisch direkt an den Gouverneur: »Wir wollen hier keine Atombombe. Sie wissen doch, was in Hiroshima passiert ist!«

»Bitte Abram, setz dich hin und lass ihn ausreden«, flehte Sorrys Mutter ihren Bruder an.

Der Gouverneur, die anderen Offiziere und Jeimata musterten Abram stirnrunzelnd. Sie hatten wohl nicht damit gerechnet, auf Bikini jemanden wie Abram Makaoliej anzutreffen.

Sorry musste sofort an den Albatros denken, den er vor zwei Jahren auf Nantil hatte stöhnen hören. *Die Atombombe. Das hat der Vogel also gemeint.*

Azakel übersetzte weiter: »Es geschieht im Interesse des Friedens und der Sicherheit auf der ganzen Welt.«

»Wessen Frieden und wessen Sicherheit?«, rief Abram zuerst in der Sprache der Marshallinseln und dann auf Englisch.

Der Gouverneur holte tief Luft und setzte erneut an.

Azakel übersetzte: »In der Lagune werden viele Kriegsschiffe ankern. Die Versuche dienen dazu, herauszufinden, wie gut die Schiffe einen Atombombenangriff überstehen.«

Ailiñkan war wieder nach Bikini gekommen, ging es Sorry durch den Kopf. Zuerst die Spanier, dann die Deutschen und die Japaner. Und jetzt waren es die freundlichen Amerikaner, die ihnen erst Süßigkeiten brachten und dann die Atombombe.

»Es gibt doch Atolle, die gar nicht bewohnt sind«, hielt Abram in beiden Sprachen dagegen.

»Aber keine Lagune ist so groß und so tief wie diese«, erwiderte Azakel.

Das stimmte nicht. Sorry hatte gehört, dass die Lagune von Kwajalein viel größer und tiefer war.

Azakel sagte eindringlich: »Die Amerikaner haben alles geprüft. Am Versuchsort darf keine Sturmgefahr herrschen, der Wind darf nur aus einer Richtung wehen und die Meeresströmungen dürfen weder zu wichtigen Fischgründen noch zu bewohnten Inseln führen. Außerdem muss er in einem Gebiet liegen, das Wale auf ihren Wanderungen nicht durchqueren.«

Sorry erinnerte sich, was Abram den Leuten von dem Gift erzählt hatte, das die Bombe verbreitete und das alle krank machte. Strahlung! Sie ging sowohl durch die Luft als auch durchs Wasser. »Die Amerikaner sollen weitersuchen und einen anderen Ort für ihren Versuch finden«, sagte Abram in beiden Sprachen. Er hatte seine Hände zu Fäusten geballt und sein Mund zeigte, wie wütend er war.

Die Marineoffiziere blickten Hilfe suchend zum Oberhäuptling hinüber. Mit versteinerter Miene sagte Jeimata zu Juda: »Bring ihn zum Schweigen.«

Juda sah aus, als wolle er am liebsten im Erdboden versinken. Dann sagte er unsicher: »Bitte, Abram ...«, und warf Sorrys Mutter einen Hilfe suchenden Blick zu, aber sie reagierte nicht.

Der Gouverneur atmete tief durch. Er versuchte den Querulanten zu ignorieren und begann wieder zu sprechen. Azakel übersetzte: »Die Amerikaner werden alle Bewohner von Bikini mit ihrer gesamten Habe umsiedeln. Sie werden euch neue Häuser zur Verfügung stellen und Nahrungsmittel liefern –«

»Hört nicht auf ihn!«, rief Abram in der Sprache der Marshallinseln.

»Halt deinen Mund, Abram«, sagte Leje Ijjirik.

»In einigen Jahren könnt ihr wieder zurückkommen«, fuhr Azakel fort. »Alles wird wieder so hergerichtet, wie es heute ist.«

Sorry sah, wie Azakel schwitzte. Seine braune Haut wurde ganz rot.

»Lügner!«, rief Abram dem Gouverneur zu. Er zitterte vor Wut. »Die Bombe verpestet unsere Erde, tötet unsere Palmen und vergiftet die Lagune. Es wird keine Kokosnüsse mehr geben und keine Fische –«

Juda unterbrach ihn: »Bitte lass uns hören, was er zu sagen hat.«

Abram rief: »*Letao!* Lügner!«

Sorry tat es ihm gleich.

Der Gouverneur hob beruhigend die Hände und sprach sehr langsam weiter. Azakel übersetzte genauso langsam. In diesem Tonfall klang der Gouverneur fast wie Jonjen, wenn er eine seiner Predigten hielt.

»Ihr seid wie die Kinder Israels, die Gott der Herr gerettet und ins Gelobte Land geführt hat. Wir haben euch vor euren Feinden gerettet, indem wir die Bombe geschaffen haben, und jetzt müssen wir zum Wohle der Menschheit und um alle Kriege ein für alle Mal aus der Welt zu schaffen mit dieser Bombe weiterexperimentieren. Wir haben die ganze Erde abgesucht und wissen jetzt, dass Bikini der beste Ort ist um diese Versuche durchzuführen.«

Azakel übertrug nicht nur die Worte, sondern auch den Ton des Gouverneurs in die Sprache der Marshallinseln.

Als er damit fertig war, sagte Häuptling Juda: »Wir werden das besprechen«, und der Dolmetscher winkte den Amerikanern, damit sie die Inselbewohner eine Weile alleine ließen.

Abram schnaubte wütend los: »›Kinder Israels?‹ Das haben sie aber gut einstudiert. Die wissen genau, welche Worte sie benützen müssen.«

Als Azakel und die Offiziere außer Hörweite waren, sagte Abram zu den Leuten, »Sie sagen nicht die Wahrheit. Seit Monaten höre ich im Radio, wie schrecklich krank die Menschen in Hiroshima sind, seit dort die Atombombe explodiert ist. Die Wissenschaftler wissen noch nicht einmal, wie lange das Gift sich hält. Es könnten gut und gerne tausend Jahre sein.«

Juda hielt dagegen: »Der Gouverneur sprach aber nur von *ein paar* Jahren.«

»Sie haben keine Ahnung. *Sie haben keine Ahnung, Häuptling Juda.* In den Radionachrichten heißt es, dass sie es nicht wissen. Glaubst du denn, ich hätte mir das ausgedacht?«

Jonjen sagte: »Ich bin gegen diese Atombombe. Sie tötet Menschen und ich bin gegen jede Art von Töten.«

»Tut, was die Amerikaner von euch verlangen«, ergriff nun Oberhäuptling Jeimata das Wort. »Ich befehle es euch.«

Abram hatte keine Ehrfurcht vor dem Herrscher der Ralik-Inseln. »Du musst ja hier nicht leben!«

Jeimatas Miene verdüsterte sich.

Mehr als eine Stunde lang ging es so hin und her. Abram meinte: »Aus der Bibel wissen wir, dass es bei den weißen Männern Tiere gibt, die Schafe heißen. Sie sind leicht zu halten und leisten keinen Widerstand. Sie machen sich keine eigenen Gedanken, sie folgen einfach ihren Führern. Folgen ihnen sogar bis in den Tod. Ihr seid heute diese Schafe. Versteht ihr das denn nicht?«

Sorry hatte schon von den Schafen gehört und verstand, was Abram meinte.

Tara sprach aufgeregt zu den Inselbewohnern, die immer noch im Sand saßen: »Ihr seid hier geboren! Das ist eure Insel! Ihr dürft sie nicht aufgeben! Die sollen ihre Atombombe doch irgendwo in Amerika testen!«

Meistens hörten die Menschen von Bikini auf das, was ihnen ihre Lehrerin sagte. Abram blickte dankbar zu ihr hinüber.

Aber Leje Ijjirik hielt dagegen: »Die Amerikaner wollen doch nur für eine Weile unsere Lagune benützen. Was ist denn schlimm daran? Ich denke, dass sie uns viel Geld dafür zahlen werden, und wenn wir in zwei Jahren zurückkommen, wird alles so sein wie zuvor. Sie werden uns viele Geschenke machen, so, wie sie es bisher schon getan haben.«

Abram rief: »Von Geld habe ich aber nichts gehört. Nur davon, dass wir umgesiedelt werden sollen!«

Häuptling Juda sagte ruhig: »Ich bin mir sicher, dass sie uns Geld geben werden.«

»Dann frag sie danach!«, entgegnete Abram.

Juda seufzte und meinte: »Wir müssen jetzt abstimmen. Sie warten darauf.«

Neun *alabs* stimmten im Namen ihrer Familien dafür, die Insel zu verlassen. Sorry und Jonjen waren dagegen, ebenso wie die Familie Makaoliej, zu der Abram gehörte. Die ganze Beratung hatte weniger als eine Stunde gedauert.

Juda schickte ein Mädchen der Ijjiriks zu den Amerikanern um sie wieder zum Versammlungsort zurückzuholen. Als sie da waren, sagte Juda: »Wenn die Regierung der Vereinigten Staaten und Wissenschaftler aus der ganzen Welt unser Atoll für Experimente brauchen, die mit Gottes Hilfe dem Wohle der gesamten Menschheit dienen, dann gehen ich und meine Leute gerne für eine Weile woanders hin.«

Armer Häuptling Juda, dachte Sorry. *Er ist es nicht gewohnt, mit Behörden zu verhandeln.*

»Du hast einen großen Fehler gemacht, Juda«, sagte Abram verbittert. »Du hast einen großen Fehler gemacht.«

Nachdem Azakel übersetzt hatte, gratulierte der Gouverneur Juda zu seinem Entschluss und bedankte sich bei den Inselbewohnern. Er sagte, er sei sicher, dass ihre neue Heimat ihnen gefallen werde und dass die Marine und die amerikanische Regierung alles Menschenmögliche tun würden um ihnen bei ihrer Umsiedlung behilflich zu sein.

Tara nahm Abrams Hand. »Du hast es wenigstens versucht...« Er seufzte. »Aber ich habe es nicht geschafft.«

Sorry betrachtete die Gesichter der Inselbewohner, die immer noch auf ihren Matten saßen. Sie begriffen noch immer nicht, was in nicht einmal zwei Stunden mit ihnen geschehen war. Einige runzelten nachdenklich die Stirn, aber die meisten von ihnen blickten dem Gouverneur, der mit seinen Leuten zurück zu den Schlauchbooten eilte, mit ausdruckslosen Mienen nach.

Sorry saß neben Abram im Sand und sah zu, wie das blaue Flugboot der Marine abhob und die Lagune in Richtung Westen verließ. Seine Mutter und Lokileni saßen ein paar Schritte entfernt bei Tara, Jonjen und Yolo. Niemand sagte etwas. Sorry war stolz darauf, dass er gegen die Weißen und ihre Bombe gestimmt hatte.

Auch die anderen Dorfbewohner standen mit ihren Familien zusammen und sahen dem Wasserflugzeug schweigend hinterher. Im Laufe des Nachmittags glaubte Sorry zu spüren, wie sich unter ihnen erst Reue und dann Traurigkeit breit machte. Nach und nach begannen all die schönen Worte, dass sie die Kinder Israels seien, die ins gelobte Land geführt würden und dass der Bombenabwurf der ganzen Menschheit Glück und Segen spenden werde, zu verblassen. Einigen wurde jetzt klar, dass sie dafür gestimmt hatten, den Ort ihrer Geburt zu verlassen, dafür, dass ihre Hütten abgerissen würden, dafür, dass ihre Insel zerstört würde und sie irgendwo anders würden leben müssen.

»Die Amerikaner haben gar nicht gesagt, wohin sie uns schicken werden«, bemerkte Tara.

Abram seufzte: »Weißt du, unsere Leute haben dem ganzen nur deshalb zugestimmt, weil die Weißen es wollten. Sie wissen es zwar noch nicht, aber sie haben damit das Wichtigste aufgegeben, was ein Mensch besitzt – die Heimat.«

Abram wirkte erschöpft und traurig. Fast leblos.

»Wisst ihr, was hier passiert ist? In unseren Augen sind die Amerikaner so groß und mächtig, dass wir es nicht wagen, uns ihnen zu widersetzen. Außerdem hat der Gouverneur unseren Glauben an Gott schamlos ausgenützt. Ich weine um uns alle, Sorry. Die Leute glauben, dass sie in ein paar Jahren wieder zurückkehren können und dass dann alles so ist wie vorher. Aber das wird es nicht, Sorry. Nichts wird jemals wieder so sein wie vorher, wenn die Bombe erst einmal gefallen ist. Sie haben Juda und uns alle angelogen.«

»Onkel Abram, warum müssen die Amerikaner Bomben testen, wo doch der Krieg vorbei ist?«, fragte Sorry nachdenklich. »Herrscht denn jetzt nicht Frieden in der Welt?«

»Ganz so einfach ist es leider nicht. Schließlich hat Amerika immer noch Feinde.«

»Warum können denn nicht alle Menschen friedlich miteinander leben, so wie wir hier?«

»Wenn ich darauf eine Antwort wüsste, Sorry, dann wäre ich der wichtigste Mann der Welt.«

Ruta Rinamu nickte zustimmend.

»Können wir diesen Test nicht verhindern?«, wollte Sorry wissen.

»Ja«, sagte Tara, »was können wir tun?« Auch Jonjen wiederholte ihre Frage.

Abram dachte eine Weile nach. »Ich bin mir nicht sicher. Vielleicht gibt es eine Möglichkeit. Als Matrose habe ich etwas über Streiks gehört. Wisst ihr, was ein Streik ist?«

Sorry schüttelte den Kopf.

»Bei einem Streik kämpfen die Arbeiter dagegen, dass sie schlecht behandelt werden und zu wenig Geld bekommen. Sie weigern sich zu arbeiten. Sie protestieren.«

»Können wir das auch machen?«

»Ich glaube nicht, dass ein Streik viel bewirken würde. Aber wir können protestieren. Wir können kämpfen. In der Welt da draußen gibt es jede Menge Zeitungen, Zeitschriften und Radiosender. Wenn wir es schaffen, rechtzeitig mit ihnen Verbindung aufzunehmen, dann bringen wir die Marine vielleicht dazu, dass sie nach einem anderen, einem unbewohnten Atoll sucht.«

»Und wie stehen die Chancen dafür, Onkel Abram?«

Abram brauchte lange, bis er antwortete.

»Nicht sehr hoch.«

Danach sagte niemand mehr etwas.

Vize-Admiral William H.P. Blandy, der Oberbefehlshaber der *Operation Crossroads*, informierte die internationale Presse, dass die Bewohner von Bikini schon nach einigen wenigen Monaten auf ihre Insel zurückkehren könnten.

3

Mit dumpf klopfendem Herzen saß Sorry angegurtet und in einer Schwimmweste festgeschnallt neben Häuptling Juda, Abram, Jeton Kejibuki und Manoj Ijjirik, die sich mit geschlossenen Augen an den Handgriffen der Sitze festhielten. Der Lärm der Motoren steigerte sich zu einem wütenden Kreischen, als das Flugboot zum Start beschleunigte. Zuerst prallte sein Bug noch gegen die Wellen, aber dann erhob es sich langsam in die Luft.

Alle anderen Mitglieder des Rates waren aus Angst vor der Maschine des weißen Mannes daheim geblieben und hatten das Angebot der Marine ausgeschlagen sie auf der Suche nach einer geeigneten Insel im Flugzeug mitzunehmen. Dazu hatten sie eine viermotorige Maschine zur Verfügung gestellt, die größer als die normalen Catalinas war.

Als sie erst einmal in der Luft waren, fiel Sorry das Atmen leichter. Nie hätte er gedacht, dass er jemals in seinem Leben in so einem brüllenden, schaukelnden Flugzeug sitzen würde. Nach kurzer Zeit erklärte der Matrose in der Kabine, dass man nun seinen Sicherheitsgurt lösen und hinausschauen könne. Der Blick von oben auf das Meer und die darüber hinwegziehenden Wolken war neu und aufregend.

Der Militärgouverneur hatte ihnen einen Marineoffizier als Begleiter mitgeschickt. Der dickliche, rothaarige Mann hieß Lieutenant Hastings und hatte lauter Sommersprossen im Gesicht. Durch den Lärm der Maschine rief er den Ratsmitgliedern zu: »Zuerst steuern wir Ujae und Lae an.«

Bald darauf flog das Flugboot eine Schleife über den beiden Inseln, die sehr viel kleiner als Bikini waren. Ihre Einwohner winkten herauf, als der geflügelte Schatten über ihre Strände und Palmwipfel dröhnte.

Sorry konnte es noch immer nicht fassen, dass er sich tatsächlich in der Luft befand, aber inzwischen fand er Gefallen daran. Häuptling Juda hingegen, dessen Gesicht inzwischen eine fast weiße Farbe angenommen hatte, hielt sich immer noch krampfhaft an seinem Sitz.

»Der Rat hat sich gegen alle Inseln ausgesprochen, die bereits besiedelt sind«, sagte Abram auf Englisch zu Hastings. Juda musste sich in eine Tüte übergeben, die man ihm gerade noch gereicht hatte. Dann keuchte er: »Rongerik.« Er hatte gehört, dass die 190 Kilometer östlich von Bikini gelegene Insel unbewohnt sein sollte.

Bei dem Gedanken an Rongerik war Sorry jedoch aus anderen Gründen unwohl. Als Kind hatte er von Yolo schlimme Dinge über die Insel gehört und außerdem kamen ihm 190 Kilometer so weit wie der halbe Erdball.

Abram sagte, dass es der Marine vollkommen egal sei, auf welche Insel sie auswanderten. Hauptsache, sie verließen Bikini so bald wie möglich mitsamt ihrer Pandanusmatten, ihren Auslegerkanus und ihren Hühnern und Hunden. Ihre neue Heimat konnten sie sich selbst aussuchen.

Jetzt wurde es auch Jeton Kejibuki schlecht und er musste sich ebenfalls übergeben. Auch Sorry fühlte sich auf dem zweistündigen Flug nach Rongerik ein wenig unwohl. Schließlich ging das Flugboot in den Sinkflug, und Lieutenant Hastings kam aus dem Cockpit in die Kabine. »Rongerik«, sagte er.

Häuptling Juda rappelte sich aus seinem Sitz hoch und sah nach unten.

»Wollen Sie, dass wir landen?«, fragte Lieutenant Hastings.

Abram übersetzte es Juda, doch der schüttelte nur den Kopf.

»Es wäre besser, wir würden landen«, sagte Abram daraufhin zu dem Häuptling, aber Juda lehnte es ab.

Sorrys kam das Atoll, das viel kleiner als Bikini war, nicht allzu schlecht vor. Es gab dort zwar nicht allzu viele Kokosnuss- und Pandanuspalmen, aber der Strand der Hauptinsel war breiter als der auf Bikini.

Sorry bemerkte, dass Manoj Ijjirik auf einmal Tränen in den Augen hatte. Jeton Kejibuki starrte auf den Boden des Flugzeugs und Abram war ganz offensichtlich frustriert. Sie alle waren unzufrieden mit Judas Entscheidung nicht zu landen.

Sorry blickte noch einmal hinunter. Die Lagune war weniger als halb so groß wie die von Bikini, und einige der Inseln des Atolls bestanden nur aus Sand oder waren lediglich mit niedrigem Gebüsch und Kletterpflanzen bewachsen.

»Nach Hause«, sagte Juda mit schwacher Stimme zu Abram.

»Ich will nach Hause.« Abram übersetzte es dem Lieutenant. Juda saß zusammengesunken auf seinem Sitz.

»Das ist keine gute Insel!«, brüllte Abram ihm durch den Motorenlärm zu.

Juda hob nicht einmal den Kopf um zu antworten.

Ein paar Minuten nachdem das Flugzeug wieder auf Bikini gelandet war, versammelten sich die Dorfbewohner am Strand und warteten gespannt darauf, dass die Schlauchboote Häuptling Juda und seine Begleiter zurückbrachten.

Juda war noch immer blass im Gesicht, als er aus dem Boot stieg und schwankenden Schrittes auf seine Leute zu ging.

»Was ist denn passiert?«, fragte Jonjen.

»Wir haben uns für Rongerik entschieden, weil dort niemand wohnt«, erwiderte Juda.

»Aber ich habe schlimme Dinge über Rongerik gehört. Deshalb wohnt dort keiner«, sagte Jonjen.

»Es ist ja nur vorübergehend. In zwei Jahren sind wir doch wieder zu Hause«, hielt Juda dagegen. »Das hat uns die Marine versprochen.«

Zwei Jahre sind eine lange Zeit, dachte Sorry.

»Warum habt ihr denn nicht noch mehr Inseln im Süden angeschaut?«, wollte Jonjen wissen.

»Weil ich weiß, dass ihr alle so nah wie möglich an Bikini bleiben wollt. Außerdem wissen wir, dass die Atolle südlich von Bikini entweder zu klein oder bewohnt ist.«

Abram stand ganz hinten in der Gruppe und sagte mit leiser, trauriger Stimme: »Juda, ich glaube, dass diese Insel erst in sehr, sehr vielen Jahren wieder unsere Heimat wird, wenn überhaupt. Die Bomben werde alles vergiften.«

Leje Ijjirik drehte sich rasch zu Abram um und rief verärgert: »Das hast du neulich auch schon gesagt und wir alle haben es gehört! Du brauchst es nicht andauernd zu wiederholen. Es ist schließlich zu unserem Vorteil, wenn wir die Insel verlassen. Früher oder später wird uns die amerikanische Marine nämlich Geld dafür geben. Und wenn wir auf Rongerik sind, dann wird sie uns mit Nahrungsmitteln und Medizin versorgen. Die Amerikaner haben Ärzte.«

Das war typisch Leje, dachte Sorry. Der würde sich sogar mit einem Albatros anlegen.

»Wart ab, bis du Rongerik selbst zu sehen bekommst, Leje! Wart's einfach ab!«, schrie Abram mit bösem Gesicht zurück. Dabei waren sie immer so freundliche Menschen gewesen. Nur selten hatte einer die Stimme erhoben. Jetzt aber lag eine düstere, aggressive Spannung in der Luft.

»Du bist ja verrückt, Abram! Du bist krank!«, brüllte Leje und drohte mit der Faust.

»Er sagt die Wahrheit, Leje«, mischte Tara sich mit lauter Stimme ein. »Ich bin auf Rongerik gewesen. Schließlich bin ich 30 Kilometer davon entfernt auf die Welt gekommen.«

In der Menge erhob sich ein Gemurmel und bald darauf gingen die Leute auseinander. Die meisten von ihnen machten dabei unglückliche Gesichter. Nur Leje und ein paar andere waren immer noch zufrieden mit ihrer vor einer Woche gefassten Entscheidung Bikini zu verlassen. Sorry vermutete, dass die meisten Dorfbewohner inzwischen ihre Meinung geändert hatten und am liebsten hier geblieben wären.

Mit einem zornigen Ausdruck auf ihrem schmalen Gesicht sagte Lokileni: »Onkel Abram ist nicht verrückt.«

Leje tat so, als habe er nichts gehört und ging.

»Mein Bruder ist nicht verrückt!«, rief auch Ruta Rinamu wütend hinter ihm her.

Abram stand stumm da und sah ganz merkwürdig aus.

Seine braunes Gesicht hatte einen grauen Farbton angenommen. Es ging ihm ganz offensichtlich nicht gut.

»Was ist mit dir?«, fragte Sorry.

Sorrys Mutter schien besorgt. »Abram, fühlst du dich nicht wohl?«

Abram nahm zwei Tabletten aus der kleinen Dose in seiner Tasche und legte sie sich unter die Zunge. »Mir geht es gut«, antwortete er und atmete tief durch.

Der alte Jibiji Kejibuki versuchte die Wogen zu glätten. »Erzähl uns von Rongerik«, bat er Abram.

Abram nickte. »Die Hauptinsel ist nicht so groß wie Bikini, und auch die Lagune dürfte nur ein Viertel der unsrigen sein. Außerdem ist das Atoll nicht allzu fruchtbar. Leje täuscht sich mit dem Geld. Die Navy hat lediglich angeboten uns in vorübergehende Behausungen umzusiedeln. Mehr nicht. Ich habe jedes Wort des Gouverneurs genau verstanden. Von Geld hat er nichts gesagt.«

Auf einmal wirkte Abram völlig erschöpft und musste sich auf einen Palmstumpf setzen. Sorry und seine Mutter sahen sich an.

Beim Abendessen murmelte Lokileni »Rongerik« vor sich hin, als wäre es ein fremdes Wort, das sie zu lernen hatte. Sorry fand, dass der Name dieser Insel überhaupt nicht weich und melodisch klang. Bikini hingegen hörte sich in seinen Ohren ausgesprochen schön an.

Seit der nachmittäglichen Auseinandersetzung hatte Abram kaum gesprochen. Erst jetzt begann er den anderen zu erzählen, was an diesem Tag geschehen war. »Auf dem Rückweg haben Manoj und ich die ganze Zeit überlegt, wie wir die Navy dazu bringen könnten, eine andere Insel zu suchen und uns hier zu lassen. Juda hat nur einmal noch etwas gesagt: ›Wir sind so klein und sie so groß‹, meinte er. Damit hat er natürlich Recht, aber ich finde es trotzdem schrecklich, dass wir uns kampflos geschlagen gegeben haben. Wir hätten Nein sagen können. Das hätte vielleicht nichts geändert, aber wir hätten es wenigstens versuchen können.«

»Gab es denn Fische dort?«, fragte Sorrys Mutter.

»Nicht besonders viele«, musste Sorry zugeben. »Aber wir haben wenigstens ein paar Thunfische gesehen.«

Ohne Fisch würden sie nicht überleben können.

Juda hatte den Frauen aufgetragen am nächsten Tag mit der Herstellung von Dach- und Wandmatten zu beginnen. Außerdem sollten die Männer alle reifen Blätter von den Pandanuspalmen pflücken, damit man auch diese mit nach Rongerik nehmen konnte. Großmutter Yolo und Lokileni würden beim Flechten helfen, Sorry würde Blätter pflücken.

»Wie sieht es denn mit Pandanuspalmen auf den anderen Inseln aus?«, wollte Sorrys Mutter wissen.

»Allzu viele gibt es nicht«, antwortete Sorry und fügte hinzu: »Das Atoll hat übrigens die Form einer Hand. Aber das hat ja nichts zu sagen.«

»Zwei Jahre werden wir es dort schon aushalten«, sagte Sorrys Mutter optimistisch wie immer.

»Können wir uns denn nicht noch ein zweites Mal zusammensetzen und beratschlagen?«, fragte Sorry.

»Klar können wir das, aber die Marine wird wohl nicht noch einmal kommen«, erwiderte Abram.

Jonjen ergriff das Wort: »Wie hat der Gouverneur doch gleich gesagt? ›Es wird Gott gefallen, wenn ihr die Insel verlasst‹. Woher will die amerikanische Marine denn wissen, was Gott gefällt?«

Am späten Abend saßen Sorry, Lokileni, Abram und Tara vor ihrer Hütte am Strand. Die Lichter der *Sumner* durchdrangen die samtene Dunkelheit über der Lagune. Das alte Schiff erinnerte die Inselbewohner ständig an das, was auf sie zukommen würde. Wenn der Wind von See her wehte, konnten sie sogar die Lautsprecherdurchsagen an Bord hören, das Schrillen der Bootsmannspfeifen, die Wecksignale oder den Zapfenstreich. Niemand auf der Insel konnte diesen Geräuschen entkommen. Noch vor einem knappen Monat hatte der Nachtwind nichts als das Murmeln der Brandung und die Schreie unsichtbarer Vögel herbeigeweht.

»Onkel Abram, hast du nicht gesagt, du hättest eine Idee?«, fragte Sorry.

»Das stimmt«, antwortete Abram ruhig und starrte auf die Lichter der *Sumner*.

»Und was ist das für eine Idee?«, bohrte Sorry nach. Im blassen Licht des Mondes schaute er seinen Onkel von der Seite an.

Abram schwieg sehr lange. »Das erzähle ich dir später«, meinte er schließlich.

»Habt ihr gehört, was Großvater Jonjen gesagt hat?«, fragte Lokileni. »Yolo will nicht mit nach Rongerik gehen. Und zwar wegen Libokra.«

Abram lachte leise. »Das ist eine dumme, alte Geschichte.

Wahrscheinlich wird irgendjemand Yolo auf den Rücken nehmen wie einen Sack voller Lilien. Die Navy wird es nicht zulassen, dass eine alte Frau hier bleibt und zusieht, wie die Bomben hochgehen.«

Der Legende nach hatte die böse Hexe Libokra vor Urzeiten die Insel Rongerik aus dem Kreis der südlichen Atolle herausgestohlen und nach Norden versetzt. Als sie danach jedoch versuchte auch Bikini zu verschieben, wurde sie von einem guten Geist namens Orijabato verjagt und musste sich nach Rongerik zurückziehen. In einer stürmischen Nacht wurde sie dort ermordet und in die Lagune geworfen, wo ihr Körper sämtliches Leben im Wasser vergiftete. Seit dieser Zeit gab es nur noch wenige und kleinwüchsige Kokos- und Pandanuspalmen auf Rongerik, und das Wasser in den wenigen, nicht besonders tiefen Brunnen der Insel schmeckte seltsam und wer davon trank, wurde krank. Seit vielen Jahren lebten keine Menschen mehr auf Rongerik und Libokra war daran schuld.

»Das ist natürlich Unsinn«, sagte Tara. »Aber ich muss zugeben, dass auch meine Leute nur sehr selten nach Rongerik gefahren sind und wenn, dann niemals nachts.«

»Fliegt dann die tote Hexe dort herum?«, fragte Lokileni.

»Glaub es, wenn du willst«, antwortete Tara lachend.

»Wenn diese Geschichte nur Unsinn ist, weshalb lebt dann niemand auf der Insel?«, fragte Sorry.

»Das weiß ich auch nicht«, gestand Tara ein.

Abram meinte: »Der Grund ist, dass das Atoll einfach nichts hergibt. Das habe ich schon vor Jahren gehört. Mit Libokra hat das überhaupt nichts zu tun, ganz gleich, was Yolo glaubt.«

Großmutter Yolo war wirklich mehr als nur halb verrückt, das war Sorry schon oft aufgefallen. Schon vor seiner Geburt war sie so gewesen. Dennoch liebte er sie.

Als Sorry sechs oder sieben Jahre alt war, hatte er ihr einmal einen schrecklichen Streich gespielt, der ihm jetzt noch Leid tat. Yolo wollte sich nicht im Spiegel anschauen, weil sie Angst hatte einen Geist zu entdecken. Also hatte Sorry sich in Manoj Ijjiriks Haus eine Spiegelscherbe ausgeliehen und gewartet, bis seine Großmutter eines Nachmittags eingeschlafen war. Dann hatte er ihr den Spiegel etwa einen halben Meter über das Gesicht gehalten und sie aufgeweckt. Yolo hatte sich selber erblickt und laut aufgeschrien, und Sorrys Vater war so wütend auf ihn gewesen, dass er ihn den ganzen Strand entlanggejagt hatte.

Am Strand vor dem Barriereriff gab es einen großen Felsen, auf dem Yolo gerne saß. Hier verharrte sie mit kerzengeradem Rücken und geschlossenen Augen und legte die Hände auf ihre Knie. Einmal hatte Sorry sie gefragt, was sie denn dort hören würde. Daraufhin hatten sich Yolos Augäpfel unter den geschlossenen Lidern bewegt und ihr zahnloser Kiefer hatte sich hin und her geschoben. Damals hatte Yolo noch gesprochen. Sie hatte Sorry erklärt, dass sie den Stimmen aus dem Ozean lausche, den Stimmen all der Menschen, die in den letzten hundert Jahren auf und vor dem Barriereriff gestorben waren. Eine Weile hatte Sorry wirklich geglaubt, dass seine Großmutter diese Stimmen hören konnte.

Hatte sie auch mit seinem Vater gesprochen? Das hatte sie ihm nicht sagen wollen.

Was Anfang Januar 1946 mit ein paar Befehlen des Pentagons begonnen hatte, war im Lauf der Zeit zu einer riesigen Aktion angewachsen, bei der schließlich mehr als 250 Schiffe, 150 Flugzeuge, 42.000 Menschen und 25.000 Geigerzähler sowie Hunderte von Foto- und Filmkameras zum Einsatz kommen sollten. Etwa 160 Journalisten aus aller Welt hatten vor, demnächst nach Bikini aufzubrechen.

4

Während die Morgensonne in den Himmel kletterte und den nächtlichen Tau trocknete, segelten Abram und Sorry in dem Kanu aus Eniwetok hinaus zur USS *Sumner*.

Sie baten um Erlaubnis zum Anlegen und machten das Kanu an einer hölzernen Schwimmplattform fest. Sorry hatte keine Ahnung, wozu dieser Besuch dienen sollte, denn Abram hatte es ihm nicht gesagt.

Manchmal war Sorrys Onkel so offen wie das Meer und der Himmel, manchmal wiederum war er verschlossen wie eine Auster. An diesem Morgen war er eine Auster.

Abram wechselte ein paar Worte mit dem wachhabenden Maat an der Gangway. Er bat darum, mit dem Oberbootsmann sprechen zu dürfen. Der Oberbootsmann befehligte die Decksmannschaft und war für die äußere Instandhaltung des Schiffes zuständig.

»Um was geht es?«, wollte der Maat wissen.

»Wir wollen heute mit dem Abbau unserer Gebäude beginnen und deshalb bräuchte ich etwas rote Farbe um die Teile zu markieren, die wir mit nach Rongerik nehmen.«

Lieutenant Hastings war der Meinung gewesen, dass sowohl die Kirche als auch das Versammlungs- und Schulhaus abgetragen und mit auf die neue Insel genommen werden sollten. Beide Gebäude waren Zentren des Gemeindelebens und konnten möglicherweise das Heimweh der Leute von Bikini dämpfen. Der Lieutenant hatte Juda versprochen, dass die Marine sie beim Abbau der Häuser unterstützen werde.

Der Maat zuckte mit den Achseln und sagte in ein Mikrofon, das mit der Lautsprecheranlage des Schiffes verbunden war: »Oberbootsmann aufs Achterdeck! Oberbootsmann aufs Achterdeck.« Der Oberbootsmann verwaltete die Farbvorräte des Schiffes.

Sorry blickte an dem langen, grauen Rumpf mit seinen vielen Nieten entlang und wünschte, er könne an Bord gehen und sich das Schiff der Weißen aus der Nähe ansehen. Es roch nach gekochtem Essen. Sorry fragte sich, was es wohl gab, denn der Geruch war völlig anders als der aus den Kochgruben am Strand von Bikini.

Kurz darauf erschien ein untersetzter Mann, dem blonde Haare unter seiner Mütze und aus dem offenen Kragen seines kurzärmeligen, khakifarbenen Hemdes hervorquollen. Seine Arme waren tätowiert. Mit einem Stirnrunzeln fragte er: »Wer will was von mir?«

Der wachhabende Maat deutete auf Abram, der barfuß, mit nacktem Oberkörper und in seinen hochgerollten Arbeitshosen auf der Schwimmplattform stand und freundlich lächelte.

Der Oberbootsmann blickte fragend von Abram zu Sorry, der noch im Kanu saß. »Was gibt's?«, murmelte er.

Abram wiederholte, was er dem wachhabenden Maat bereits erklärt hatte: Er brauche Farbe um die Stützen zu markieren.

»Wie viel?«

»Fünfzig Liter und zwei Pinsel bitte.«

»Ich gebe dir fünfundzwanzig«, sagte der stämmige, blonde Mann und kratzte sich nachdenklich am Kopf. »Ach was, du sollst deine fünfzig haben. Dieser alte Pott hier wird ohnehin abgewrackt, sobald wir wieder zurück in Norfolk sind. Was soll's also?«

Er wandte sich zum Gehen, als Abram ihm höflich hinterherrief: »Die hier sind für Sie, Sir!«

Das ganze Gespräch über hatte er hinter seinem Rücken zwei zwei gefärbte Pandanusmatten gehalten, die Sorrys Mutter geflochten hatte.

»Na so was. Vielen Dank auch«, freute sich der Oberbootsmann, als Abram ihm die beiden Matten nach oben reichte.

»Wenn Sie mal an Land kommen, würde ich Sie gerne zu einer Schale Palmwein einladen«, sagte Abram.

Wenig später kam der Matrose mit zwei Fünfundzwanzig-Liter-Kanistern roter Mennige zurück, einer Grundierung, die auf allen Schiffen der US-Navy Anwendung fand. Der Mann ging langsam die steile Gangway herunter und übergab Abram die Farbe und zwei Pinsel.

»Was willst du damit denn anmalen?«, fragte Sorry. Um die Stützpfeiler zu markieren brauchte man keine fünfzig Liter. Dafür wäre ein kleiner Topf Farbe ausreichend gewesen.

»Das wirst du schon noch sehen.«

Kurz darauf nahm das Kanu wieder Kurs auf den Strand. »Ich schätze, wir sind mit der amerikanischen Marine im Geschäft«, meinte Abram.

»Was soll das heißen?«, wollte Sorry wissen.

»Das heißt, dass wir möglicherweise mehr über die Bombe herausfinden werden. Der Lieutenant wird es uns nicht sagen. Offiziere machen das nie. Aber die Mannschaften und Unteroffiziere sind oft Wehrpflichtige und die reden schon eher. Es sind meistens ganz nette Leute, so wie die Matrosen, mit denen ich zur See gefahren bin.«

Das Kanu glitt weiter auf die Insel zu.

»Aber wofür brauchen wir die ganze rote Farbe?«

»Ich habe doch gesagt, dass du das schon noch rechtzeitig erfahren wirst.«

Sorry war ein wenig verärgert und sagte: »Weißt du, Onkel Abram, ich habe wirklich geglaubt, du würdest die Navy dazu bringen, nach einer anderen Lagune Ausschau zu halten, so dass wir hier bleiben können. Ich dachte, dass wir deswegen zu dem Schiff hinausgefahren sind.«

»Was wir brauchen, sind Journalisten. Bisher sind noch keine gekommen, aber im Radio hieß es, dass viele erwartet werden. Bestimmt kommen auch welche nach Rongerik. Denen werden wir dann unsere Geschichte erzählen und hierher zurückkommen, wenn sie uns geholfen haben die Tests zu stoppen.«

War das möglich? Konnte Abram das wirklich bewerkstelligen? Offenbar war es sein Ernst. Sorry wusste, dass er in jedem Hafen, den sein Schiff angelaufen hatte, sämtliche Zeitungen gelesen hatte. Abram wusste, wie die Welt der Weißen funktionierte. Vielleicht konnte er sie ja tatsächlich dazu bringen, sich für ein anderes Atoll zu entscheiden?

»Haben wir denn genügend Zeit dafür?«, fragte Sorry.

»Ich glaube schon. Im Radio hieß es, dass die ersten Tests Ende Mai oder Anfang Juni stattfinden sollen. Jetzt haben wir erst Februar. Das ist Zeit genug.«

Kaum hatte Abram den Satz zu Ende gesprochen, gab es hinter ihnen eine große Explosion und mitten in der Lagune stieg eine riesige Wasserfontäne in die Luft. Die Amerikaner hatten einen weiteren Korallenfelsen in dem dreiundzwanzig Quadratkilometer großen Areal gesprengt, in dem später die Schiffe ankern sollten.

Sorry sagte: »Die Amerikaner verlieren keine Zeit, oder?«

»Nein, das tun sie nicht«, bestätigte Abram und beobachtete, wie sich der feine Wasserdunst verzog.

Ein Kanu von der Insel bewegte sich schon auf die Explosionsstelle zu um die toten Fische einzusammeln.

In diesem Augenblick griff sich Abram auf einmal mit schmerzverzerrtem Gesicht an die Brust und knirschte laut mit den Zähnen. Sein Gesicht grau wie Asche.

»Geht es dir nicht gut?«, fragte Sorry beunruhigt.

Abram holte die Pillendose aus seiner Tasche und nahm zwei Tabletten heraus.

»Geht es dir nicht gut, Onkel Abram?«, wiederholte Sorry.

Abram nickte und atmete schwer.

Mit geschlossenen Augen und geballten Fäusten saß er reglos da und wartete darauf, dass der Anfall vorüberging.

Sorry fiel ein, dass er schon einmal einen Menschen mit einer ähnlichen Krankheit gesehen hatte. Jorkan Rinamu aus der Nachbarsfamilie hatte gerade einen großen Fisch ins Boot gezogen, als er einen ähnlichen Anfall hatte. Jorkan war älter als Abram gewesen und später an einem Herzinfarkt gestorben.

Als der Schmerz nachließ, atmete Abram ein paar Mal tief durch, bis er schließlich wieder in Ordnung zu sein schien und seine Haut wieder ihre normale Färbung annahm.

»Passiert das öfter?«, fragte Sorry.

»In letzter Zeit ja. Aber wenn ich die Tabletten nehme, geht es wieder vorbei.«

Abram sah Sorry ein paar Sekunden lang eindringlich an. Dann sagte er: »Du willst also wissen, wie man mit Farbe Zeitungsleute anlockt?«

Sorry nickte.

»Ich werde dieses Kanu und das Segel rot anmalen und damit, kurz bevor die Bombe abgeworfen wird, mitten in die Lagune von Bikini segeln. Ich hoffe, dass man mich entdeckt und den Versuch abbricht. Und dann setze ich darauf, dass die Leute von den Zeitungen und vom Radio daraus eine ganz große Sache machen. ›Ein Mann stoppt die Bombe‹. Ich hoffe, dann erfährt die ganze Welt von uns ...«

Sorry wusste nicht, ob er wachte oder träumte. Hatte er wirklich das gehört, von dem er dachte, er habe es gehört? *Sein Onkel wollte gegen die Atombombe ansegeln?* Vielleicht war Abram *doch* verrückt.

Abram sprach weiter:»Aus dem Radio werde ich erfahren, an welchem Tag und um welche Uhrzeit das Flugzeug mit der Bombe kommen wird. Ich werde nicht zu nahe an das Hauptziel heransegeln. Aber nahe genug, damit die Männer im Flugzeug mich nicht übersehen können.«

In Sorrys Kopf drehte sich alles. Abrams Worte machten ihm Angst. Sie waren verrückt. Meinte er das wirklich ernst? Ein Mann in einem Kanu gegen die Atombombe?

»Das ist unsere einzige Möglichkeit um das Ganze noch aufzuhalten«, meinte Abram.»Die einzige Möglichkeit.«

»Aber – Onkel Abram –«

Abram winkte ab; er wollte kein Wort mehr darüber verlieren.»In Rongerik werde ich es den anderen sagen und das Kanu rot anmalen. Die Navy darf nichts davon erfahren.«

Als das Kanu mit den zehn Gallonen roter Farbe und den beiden Pinseln am Strand angekommen war, stieg Abram Makaoliej aus und brach wortlos zusammen.

Sorry schrie um Hilfe und drehte seinen Onkel auf den Rücken.

Abram war tot.

Am nächsten Morgen wurde Abram auf dem Dorffriedhof begraben und Großvater Jonjen las eine Messe. Der Morgen war wunderschön, der Wind säuselte in den Palmen, die Sonne schien und der Himmel war blau.

Nach alter Tradition hatten die Männer des Dorfes über Nacht einen Sarg gezimmert und Abram in seinem besten weißen Hemd und seinen neuesten Hosen hineingelegt. Die Frauen aus dem Dorf stimmten am offenen Grab ein lautes Wehklagen an, und auch Sorry scheute sich nicht zu weinen. In einer so kleinen Gemeinde war der Tod immer ein schrecklicher Verlust, den alle gemeinsam betrauerten.

Tara Malolo hielt eine Rede, in der sie sagte, wie sehr sie Abram bewundert hatte, und Jonjen rühmte seine Intelligenz und seinen Mut. Abram war hier gestorben, wo er hatte sterben wollen – zu Hause.

Die Dorfbewohner sangen gemeinsam »Bound for the promised land ...«.

Während Jonjen sprach, traf Sorry eine Entscheidung. Er würde an Abrams Stelle mit dem Kanu am Tag des Atombombenabwurfs nach Bikini zurückfahren. Falls niemand freiwillig mitkäme, würde er die Sache alleine durchstehen. Schließlich warf er, wie die anderen auch, eine Hand voll Sand in die Grube. Dann wurde unter dem immer lauter werdenden Wehklagen der Frauen der Sarg zugenagelt. Man ließ ihn hinab ins Grab und warf Blumen darauf und Jonjen stimmte ein letztes Gebet an.

Am Nachmittag machten sich Sorry und die anderen Männer daran, von den Pandanuspalmen die reifen Blätter abzuzupfen. Normalerweise unterhielten sich die Männer dabei immer lautstark, aber heute waren sie still. Sorry musste ständig an den Tod seines Onkels und an dessen Plan denken, mit dem er die Bombe aufhalten wollte.

Lokileni, Tara, Yolo und Mutter Rinamu machten sich mit den anderen Frauen an das Flechten der Hüttenwände. Dazu saßen sie im Versammlungshaus und ließen ihre geschickten Finger über die Blätter tanzen. Auch hier wurde normalerweise viel geredet und gelacht, aber ebenso wie die Männer waren die Frauen an diesem Tag bedrückt und niedergeschlagen.

Zweifel und Angst hatten sich wie ein Leichentuch über die Gemeinde gelegt. Abram würde ihnen allen sehr fehlen.

Fünfhundert Wissenschaftler bereiteten sich auf ihre Teilnahme an der *Operation Crossroads* vor. Noch niemals zuvor hatte man so wenig über die zerstörerischen Kräfte gewusst, die man im Begriff war zu entfesseln. Ebenso wenig wusste man über die langfristigen Auswirkungen dieses Tuns. Zu den Beobachtern der *Operation Crossroads* gehörten Biophysiker, Atomphysiker, Biologen, Zoologen, Geologen, Seismologen, Meteorologen, Hämatologen für die Blutuntersuchungen und Röntgenologen als Fachleute für Strahlung und viele andere mehr. Das Bikini-Atoll mit seinen 635,38 Quadratkilometern war wohl das wissenschaftlich am genauesten untersuchte Gebiet der Erde. Und im Zentrum all dieser Aktivitäten würde die blaugrün schimmernde Lagune stehen.

5

Nach dem Frühstück am nächsten Tag wandte sich Sorry an Tara und bat sie:»Komm, geh doch ein paar Schritte mit mir. Ich habe heute Nacht überhaupt nicht schlafen können.«
»Mir ist es genauso gegangen«, erwiderte Tara.
Diese Woche war sie in der Hütte des Häuptlings untergebracht und Judas Schnarchen hatte sie ins Freie getrieben. Tara sagte, sie habe fast die ganze Nacht im Palmenhain verbracht.
So etwas passierte jedem einmal. Man packte seine Matte, legte sich ein paar Meter vom Haus entfernt auf den Erdboden und hoffte, dass einen die Ratten, die unter den Palmen lebten, in Ruhe ließen. Sorry hatte schon einige Male im Hain geschlafen, wenn Yolo oder Jonjen zu laut geschnarcht hatten.
Tara und Sorry gingen den Strand in nördlicher Richtung entlang und hielten sich dabei direkt am Wasser. Schließlich blieb Sorry stehen, sah Tara in ihre dunklen Augen und sagte: »Abram wollte das Kanu aus Eniwetok rot anstreichen und damit am Tag des Bombenabwurfs nach Bikini zurücksegeln. Er hat gehofft, dass man ihn sieht und den Atomversuch abbricht.«
Tara öffnete den Mund, aber es kam kein Ton heraus. Abram hatte ihnen immer erzählt, dass es auf der ganzen Welt nichts Zerstörerischeres gab als die Atombombe und dass man am besten Tausende von Kilometern von ihr entfernt war. »Hatte er den Verstand verloren?«, fragte Tara schließlich.

»Seit der Militärgouverneur hier aufgetaucht ist, hat Onkel Abram ständig darüber nachgedacht, wie man die Marine doch noch von dem Vorhaben abbringen könnte. Weißt du noch, wie er uns davon erzählt hat, wie die Weißen protestieren? Dass sie streiken und demonstrieren und dass die Zeitungen darüber auf der ersten Seite berichten. Später hat er mir erzählt, dass es Menschen gibt, die auf diese Weise den Bau einer Straße verhindert haben. Ich hatte keine Ahnung davon, dass er das Kanu anstreichen wollte und –« Sorry schluckte schwer.

»Warum hat er dir das erzählt und nicht mir?«, fragte Tara stirnrunzelnd.

»Das weiß ich nicht. Ich glaube, er wollte erst warten, bis wir in Rongerik sind, und es dann allen Leuten sagen. Mir hat er seinen Plan erst nach seinem Anfall im Kanu mitgeteilt, als wir die Farbe von der *Sumner* geholt hatten.«

Tara schüttelte den Kopf. »Warum hat er mir bloß nichts davon gesagt?«, fragte sie noch einmal.

»Gleich nach dir war ich sein engster Freund«, meinte Sorry. Einige Dorfbewohner wie zum Beispiel Leje hatten Abram überhaupt nicht leiden können. Sorry vermutete, dass sie auf ihn eifersüchtig waren.

»Du weißt, dass Abram und ich uns ineinander verliebt hatten, oder?«

»Das habe ich mir schon gedacht.«

»Wir haben oft nachts, nachdem alle im Bett waren, noch Spaziergänge gemacht und uns unterhalten.«

»Wusstest du, dass er Probleme mit dem Herzen hatte?«

»Nein, das hat er mir auch nicht gesagt. Deswegen war sein Tod für mich ja auch so ein Schock ...«

»Ich hab die ganze letzte Nacht lang über die rote Farbe und die Bombe nachgedacht. Jetzt, wo Abram nicht mehr da ist um sie aufzuhalten, will ich es tun.«

»Was hast du gesagt?«

»Wenn wir auf Rongerik sind, werde ich das Kanu rot streichen und wieder hierher zurücksegeln. Und dann werde ich Abrams Plan ausführen.«

»Nein! Nein, nein, nein! Das lassen wir nicht zu.«

»Wer ist denn ›wir‹?«

»Wir alle, Sorry. Abram ist tot und das ist genug.«

»Ich mache es trotzdem, Tara«, widersprach Sorry ruhig, aber bestimmt. »Ich mache es.«

Den Schätzungen von Kernphysikern zu Folge würde die Hitze im Zentrum der Explosion, der sie den Namen »Able« gegeben hatten, mehrere Millionen Grad erreichen. An ihrem äußeren Rand rechnete man immerhin noch mit zwölftausend Grad Celsius.

6

Ganz egal, wie sich die Angelegenheit mit den Amerikanern weiterentwickelte, im Dorf ging es nach wie vor darum, die tägliche Ernährung sicherzustellen. So war es immer gewesen und so würde es auch immer bleiben, ganz egal, auf welche Insel die Menschen von Bikini auswanderten.

Am Vormittag fischten Lokileni und Sorry mit einer speziellen Knochenangel, bei der ein stählerner Haken mit Draht an einem kurzen Stück Knochen befestigt wurde. Diesen zogen sie, mit ein paar Streifen Rupfen verkleidet, hinter dem Kanu her, das in der frischen Brise seine acht bis neun Knoten machte. Das war die richtige Geschwindigkeit um einen Stachelhai oder einen Thunfisch zu fangen.

Raubfische greifen gerne kleine Gegenstände an, die sich an der Wasseroberfläche bewegen. Hinter dem Boot ist dann meist ein farbiges Funkeln zu erkennen und die Leine wickelt sich ab. Schließlich gibt es einen heftigen Ruck, mit dem sich der Haken festrammt. Manchmal springt der glitzernde Fisch sogar inmitten einer sprühenden Gischtwolke aus dem Wasser.

Sorry wartete darauf, dass ein Fisch anbiss, und blickte zum Dorf hinüber, das schon keine Kirche und keine Gemeinschaftsgebäude mehr hatte. Sie waren am Tag zuvor abgebaut worden. Sogar die Pfeiler waren verschwunden. Tara hielt ihren Unterricht am Rand des großen Palmenhains im Sand ab. Seit Sorry vor zwei Jahren vierzehn geworden war, zählte er zu den Erwachsenen und ging nicht mehr regelmäßig zum Unterricht. Während er hinüber zum Dorf sah, spürte er eine Leere in seinem Inneren und eine plötzliche, neuerliche Wut auf die Marine, die sie alle zwang ihre Insel zu verlassen. Lieutenant Hastings hatte Häuptling Juda ausrichten lassen, dass die Fahrt nach Rongerik am Ende der ersten Märzwoche stattfinden sollte, also in etwa zwei Wochen. Vielleicht sollten sie ja kurz vor dem Atombombenversuch mit allen Kanus zurück in die Lagune von Bikini segeln? Dann könnten sie sagen, »Entweder ihr stoppt diesen Versuch, oder ihr bringt uns alle um – Männer, Frauen und Kinder. Zuerst habt ihr uns unsere Heimat genommen, jetzt könnt ihr uns umbringen.« Wenn die Zeitungen das druckten!

Sorry saß da und überlegte, wie er Abrams Plan sonst noch weiterführen könnte: Sie könnten für die Rückfahrt nach Bikini zum Beispiel die Kriegskanus mit Blumen, den Symbolen des Friedens schmücken, sich Blumenkränze umhängen und die Blumenstirnbänder der alten Krieger tragen. *Das ganze Dorf könnte mitmachen!*

»Wann bauen wir unser Haus ab?«, fragte Lokileni und blickte hinüber zum Strand.

»Am Morgen unserer Abreise«, antwortete Sorry geistesabwesend.

Es würde nicht einmal eine Stunde dauern, die Wände zu entfernen und zusammenzuschnüren. Das alte Strohdach würden sie zurücklassen. Auch wenn die Hütten auf Bikini für die Weißen nichts weiter als lächerliche Ein-Zimmer-Unterkünfte mit Wänden und Dächern aus pflanzlichem Material darstellten, so waren sie für das Leben in den Tropen doch perfekt geeignet.

»Und was wird mit den Rahmen?«, fragte Lokileni.

Die Rahmen waren die einzigen festen Teile des Hauses.

»Der Lieutenant hat gesagt, dass die Navy uns sämtliches Holz zur Verfügung stellt, das wir brauchen. Sie bauen uns neue Häuser mit Holzfußböden und Dächern aus Segeltuch. Aber ich glaube nicht, dass wir so ein Dach wollen. Wir haben so lange unter Strohdächern geschlafen. Unter dem Segeltuch staut sich die Hitze wie in einem Ofen.«

In Gedanken war Sorry überhaupt nicht bei den neuen Häusern.

Lokileni sagte lachend:»Aus dem Tuch könnten wir ja genauso gut Segel machen.«

»Das ist eine gute Idee«, antwortete Sorry.»Wir verwenden einfach alles, was sie uns geben.«

Daraufhin meinte Lokileni:»Und ich glaube nicht, dass ich auf Holz schlafen will.« Auf Matten, die über Sand und feinkörnigem Korallenkies lagen, schlief man wunderbar.»Warum sollen wir unsere Gewohnheiten wegen der Weißen verändern?«

Ja, warum sollten wir uns wegen der Weißen verändern?, stimmte Sorry ihr schweigend zu. *Warum sollten wir irgendetwas für sie tun, was wir gar nicht tun müssen?*

An dem Tag, an dem sie den Versuch machen, sollten wir alle zurück nach Bikini segeln, dachte Sorry. *Ein Kanu bemerken sie vielleicht nicht, aber acht können sie nicht übersehen. Und dann erkennen die Amerikaner, dass Frauen und Kinder darin sitzen, und die Leute vom Radio und den Zeitungen hätten etwas zu melden.*

Kurz darauf rauschte die aus Palmfasern gedrehte Leine aus, die im Heck des Kanus ordentlich aufgeschossen gewesen war. Sie zog sich straff und zitterte und dann sprang ein schlanker Stachelhai knapp dreißig Meter hinter ihnen hoch in die Luft, bevor er wieder ins Wasser der Lagune eintauchte. Der Fisch sorgte dafür, dass die beiden für eine Weile nicht an Rongerik dachten.

Als die ersten Zielschiffe ankamen, veränderte sich das Leben auf dem Atoll von Tag zu Tag, wenn nicht sogar von

Stunde zu Stunde. Der Tod von Abram hatte noch für eine weitere Veränderung gesorgt: Tara war nun die Dolmetscherin von Häuptling Juda.

Sie sprach zwar nicht so gut Englisch wie Abram, aber die beiden hatten sich aus Übungszwecken oft in dieser Sprache unterhalten. Nun beherrschte sie Englisch gut genug um mit Lieutenant Hastings und den anderen Amerikanern verhandeln zu können, wenn diese, aus welchen Gründen auch immer, an Land kamen.

Außerdem wurde Tara zur allabendlichen Berichterstatterin des Dorfes. Wie Abram hörte sie täglich den Soldatensender ab, machte sich Notizen und berichtete dann, was sie gehört hatte. Trotzdem gab sie jeden Morgen ihren Unterricht.

Für die Beobachter in unmittelbarer Nähe der Explosion *Able* wurden sechstausend Schutzbrillen bestellt. Denjenigen, die keine solche Brille bekommen hatten, gab man Anweisung sich ein paar Sekunden vor dem Abwurf der Bombe von der Lagune abzuwenden, die Augen zu schließen und das Gesicht mit einem Arm zu bedecken. Wer das nicht tat, riskierte blind zu werden.

7

Der Zivilist Dr. John Garrison sprang in Shorts, T-Shirt und
Marinestiefeln aus dem Landungsboot auf den Strand. Über
seiner rechten Schulter trug er drei braune Säcke aus Segeltuch und in der rechten Hand hielt er eine seltsame Pistole
mit einem langen Lauf. An seinem Gürtel baumelte eine Feld-
flasche. Er hatte dichtes, graues Haar und trug eine Sonnenbrille.

»Ich suche eine Dame namens Tara Malolo«, sagte er in der
Sprache der Marshallinseln zu den kleinen Kindern, die in
der Hoffnung auf Süßigkeiten dem Boot entgegengelaufen
waren.

Lokileni und Sorry hatten das Boot kommen gesehen und gingen hinter den Kindern her. Ihre ganze Aufmerksamkeit galt
der auffälligen Pistole.

»Ich suche Tara Malolo«, wiederholte der Weiße.

»Sie sprechen ja unsere Sprache«, wunderte sich Sorry.

Der Mann lächelte. Er hatte ein freundliches, warmes und irgendwie väterliches Gesicht. »Ich versuche mein Bestes. Im
Zug von Washington nach San Francisco habe ich Tag und
Nacht geübt. Genauso auf dem Schiff nach Hawaii und auf den
beiden anderen, die mich endlich hierher brachten. Auf der
Sumner hat man mir geraten, mich an Tara Malolo zu wenden.«

Sorry hatte tags zuvor bemerkt, wie ein Schiff der Küsten-
wache an der *Sumner* festgemacht hatte.

»Sprecht ihr Englisch?«, fragte der Weiße.

»Ein bisschen«, antwortete Sorry. »Ich lerne noch.«

»Dann sollten wir uns besser in eurer Sprache unterhalten. Ich bin John Garrison.«

»Ich heiße Sorry. Und das ist meine Schwester Lokileni. Wir bringen Sie zu Tara.«

Dr. Garrison folgte ihnen und den plappernden Kindern den Strand hinauf bis zu Häuptling Judas Haus. Inzwischen kamen Tag für Tag so viele neue Besucher, dass die Erwachsenen die Neuankömmlinge kaum noch beachteten. Als Dr. Garrison und die Kinder bei Juda eintrafen, waren Tara, Lieutenant Hastings und der Häuptling gerade mitten in einem Streitgespräch.

»Du musst von ihm eine schriftliche Bestätigung dafür fordern, dass wir wirklich in zwei Jahren zurückkommen können, Juda«, drängte Tara. »Schließlich haben sie uns das versprochen.«

Weil der Lieutenant kein Wort von dem verstand, was Tara und der Häuptling sprachen, wurde er langsam wütend. Außerdem war er es nicht gewohnt, mit Frauen zu verhandeln. Auf seinem khakifarbenen Hemd zeichneten sich dunkle Schweißflecken ab.

Dr. Garrison stand eine Weile mit Sorry und Lokileni daneben und hörte mit zur Seite gelegtem Kopf zu.

Später erfuhr Sorry, dass Hastings gekommen war um Juda die Ankunft eines großen Landungsbootes mitzuteilen, das in ein paar Tagen die Insel anlaufen werde. Das Boot war in der Lage eine große Ladung nach Rongerik zu transportieren, wo dann schon mit dem Aufbau des neuen Dorfes begonnen werden konnte.

»Es ist zu spät, die Amerikaner noch um etwas zu bitten«, sagte Juda zu Tara.

»Es ist nie zu spät!« Tara, die dabei an Abram dachte, ließ nicht locker.

»Ich weiß nicht worüber Sie beide sprechen«, mischte Hastings sich ein. »Aber ich bin gekommen um dem Häuptling zu sagen, dass er jetzt seine Männer für die Errichtung des neuen Dorfes einteilen soll.«

Tara übersetzte.

Die Bauingenieure der Navy hatten den Plan für das neue Dorf bereits entworfen.

»Ihr müsst beim Aufbau eurer neuen Häuser schon mit anpacken«, sagte Hastings.

»Wir wollen eine schriftliche Zusicherung von Ihnen, dass wir in zwei Jahren wieder hierher zurückkehren können«, sagte Tara resolut zuerst auf Englisch und dann in der Sprache der Marshallinseln.

»Ich unterschreibe überhaupt nichts«, erwiderte Hastings. »Die Insel gehört jetzt uns. Sie zählt zum amerikanischen Staatsgebiet. Wir haben sie den Japanern abgenommen. Und ihr tut gefälligst, was wir sagen.«

Tara starrte Hastings an und fragte dann ganz ruhig: »Und was ist, wenn wir uns weigern zu gehen?«

Lieutenant Hastings holte tief Luft. »Dann bringen wir jeden von euch einzeln zu dem Boot. Ihr werdet alle nach Rongerik umziehen, so wahr ich hier stehe!«

Tara übersetzte die Worte für Juda.

»Wollen Sie etwa Waffengewalt anwenden, Lieutenant?«

Tara schien das Wortgefecht Spaß zu machen.

Hastings lief rot an und hatte Mühe sich zu beherrschen. Dr. Garrison nutzte die Pause und ging auf Tara zu. »Entschuldigen Sie bitte«, sagte er in der Sprache der Marshallinseln, »meine Name ist John Garrison. Man hat mir gesagt, ich solle mich an Tara Malolo wenden.«

»Ich bin Tara Malolo.«

Die beiden gaben sich die Hand.

Dann stellte Garrison sich Häuptling Juda vor und sagte: »Ich komme vom *National Museum,* das eine Unterabteilung des Smithsonian Instituts ist. Ich habe den Auftrag in den nächsten paar Monaten eine Bestandsaufnahme der Tierwelt auf der Insel und in der Lagune zu machen, damit wir später die Veränderungen untersuchen können, die von der Explosion ausgelöst wurden.«

»Und wozu brauchen Sie diese Pistole?«, fragte Tara. Normalerweise liefen Wissenschaftler nicht mit Waffen herum.

Dr. Garrison lachte. »Um Vögel zu schießen. Ich habe sie selbst gebaut – es gibt noch drei andere Läufe dafür. Mein Ziel ist es, mindestens drei Exemplare aller wild lebenden Tiere zu sammeln und dann sechs Monate nach dem Atomversuch zurückzukehren und Vergleiche anstellen. Ich wollte Ihnen nur mitteilen, dass ich jetzt hier bin.«

»Wenn Sie Hilfe brauchen, können Sie jederzeit zu mir kommen«, sagte Tara und lächelte. »Übrigens werden Sie auf Nantil, der nächsten Insel nördlich von hier, sehr viel mehr Vögel finden als auf Bikini.«

Garrison bedankte sich bei Tara für ihr Angebot und machte sich dann auf den Weg, um Bikini zu erkunden. Er war der erste einer ganzen Reihe von Wissenschaftlern, die dem Atoll im Laufe der Zeit einen Besuch abstatteten. Sorry und Lokileni folgten ihm nach draußen und hofften, dass sie ihn beim Gebrauch seiner seltsam aussehenden Pistole beobachten konnten.

Im Gehen hörte Sorry, wie Tara zu Lieutenant Hastings sagte: »Sie haben meine Frage bezüglich der Waffengewalt noch nicht beantwortet.«

Die beiden Atombomben für den Luft- und den Unterwassertest waren im Labor in Los Alamos zusammengebaut worden, in dem man auch schon die Bomben für den Versuch in Trinity Flats und für die beiden Abwürfe über Japan hergestellt hatte. Die neuen Bomben warteten darauf, per Schiff nach Kwajalein transportiert zu werden.

Die *Operation Crossroads* trug ihren Namen zu Recht: Nachdem die Wissenschaft die Tür zum Atomzeitalter aufgestoßen hatte, stand die Menschheit tatsächlich am Scheideweg. Auf der einen Seite eröffnete sich die Möglichkeit der friedlichen Nutzung der Atomenergie, auf der anderen drohte der Tod und die Zerstörung der ganzen Welt.

8

Am nächsten Abend saßen Sorry und Lokileni an der Stelle im Sand, an der bisher das Versammlungshaus gestanden hatte, und hörten zu, wie Tara die Nachrichten aus dem Radio referierte. »Im Soldatensender auf Kwajalein war nicht viel zu hören, dafür aus Honolulu. Es gibt die ersten Proteste.« Tara hatte die weit entfernte NBC-Station auf Kurzwelle hereinbekommen.

»Die Menschen schreiben an den Präsidenten und an die Navy, an Senatoren und Kongressabgeordnete. Einige Zeitungen sind gegen die Atomversuche. Auch einige Atomphysiker fordern die Einstellung der Tests, weil sie meinen, sie würden nichts Neues bringen. Man wüsste bereits genau, wie groß die Verwüstung und Zerstörung sei, die sie verursachten. Und es wird viel über uns gesprochen, über Bikini.«

»Willst du damit etwa sagen, dass die Versuche nicht stattfinden werden?«, fragte Sorrys Mutter.

»Ich berichte nur, was ich im Radio gehört habe«, antwortete Tara. »Wenn sich aber genügend Protest rührt, dann verschiebt die Marine die Versuche vielleicht oder sagt sie sogar völlig ab. Die Chance besteht ja noch.«

»Das ist doch reines Wunschdenken«, hielt Leje Ijjirik unwirsch dagegen.

»Es ist nicht gut, wenn man den Leuten falsche Hoffnungen macht, Tara«, sagte Häuptling Juda.

»Woher wissen wir überhaupt, dass sie die Wahrheit sagt?«, fragte Leje.

»Du kannst ja mitkommen und selbst zuhören«, antwortete Tara ruhig. Leje verstand kein einziges Wort Englisch.

Kurz darauf war die Nachrichtenstunde zu Ende. Außer Leje und wenigen anderen hofften fast alle, dass ein Wunder geschehen und die drohende Abreise doch noch verschoben würde. Nach Sonnenuntergang hielt Großvater Jonjen einen Gottesdienst ab, in dem er Gott um Rettung bat.

Am 25. Februar schob sich knirschend ein 98 Meter langes Landungsschiff den Strand hinauf. Es war ein Veteran aus der Schlacht um die Marshallinseln. Die Bugklappen schwangen auf und eine breite Laderampe senkte sich auf den Sand herab. Ein derart hässliches, unförmiges Schiff wie diese LST 1108 hatte Sorry noch nie gesehen.

An diesem Tag gaben die Inselbewohner schließlich klein bei und fügten sich ihrem Schicksal. Sie akzeptierten die Stärke der Marine und der Weltmacht, die hinter ihr stand. Leje hatte Recht gehabt: Es war dumm gewesen, auf einen glücklichen Ausgang der Geschichte zu hoffen.

Die 1108 hatte Nahrungsmittel für einen ganzen Monat auf Rongerik dabei. Dazu hundertdreißigtausend Liter Trinkwasser, Werkzeug, Nutzholz, Zement, Zeltstangen und Bretter für die Holzfußböden von sechsundzwanzig Hütten. Es gab Wellblech um Wasser aufzufangen und viele Gegenstände, die keiner von ihnen jemals zuvor gesehen hatte. Die Marine hatte sich bis hin zum letzten Nagel und Zementsack um alles gekümmert. Die Dorfbewohner waren verwirrt.

Sorry half bereitwillig mit die neuen Dächer aus Pandanusblättern an Bord zu schleppen, die die Frauen inzwischen geflochten hatten. Die Einzelteile des Kirchengebäudes und des Versammlungshauses wurden zusammen mit den Matten im unteren Teil des Schiffes verstaut. Lokileni und Sorry arbeiteten dabei oft miteinander, sprachen aber wenig.

Am späten Nachmittag zog die 1108 die Laderampe wieder hoch und schloss die Luken. Die Dieselmotoren sprangen an, stießen schwarzen Qualm aus und setzten die beiden Schrauben in Bewegung, die das Schiff zurück ins Wasser zogen. Zweiundzwanzig Männer aus dem Dorf hatten sich freiwillig dazu bereit erklärt, für eine Woche mit nach Rongerik zu fahren und den Pionieren der Marine beim Aufbau des neuen Dorfes behilflich zu sein. Die Männer standen vorne am Bug des Schiffs neben den Geschützrohren. Mit ernsten Gesichtern winkten sie den Zurückbleibenden zum Abschied zu.

Die restlichen Bewohner der Insel beobachteten vom Ufer aus, wie die 1108 ablegte, und verharrten dort, bis sie am Horizont verschwunden war.

Einen Moment lang wünschte Sorry, er wäre ebenfalls mitgefahren. Er wusste nicht, wie die anderen darüber dachten, aber er sah den letzten Tagen auf Bikini mit sehr gemischten Gefühlen entgegen. Irgendwie war er nämlich auch fasziniert von den Amerikanern und ihrem materiellen Reichtum. Er konnte sie nicht so in Bausch und Bogen ablehnen, wie Abram das getan hatte. Er wünschte, er wäre mit auf der 1108 und sie würde nicht nach Rongerik, sondern nach Amerika fahren.

Sorry und Lokileni führten Dr. Garrison über die Insel und zeigten ihm den Friedhof mit Abrams frischem Grab und dem neuen Grabstein, das Japanerlager und den Bunker, in dem sich die Besatzer umgebracht hatten. Sie durchstreiften die Insel von einem Ende zum anderen, sammelten Seesterne, Seeigel und Seegurken, Garnelen und Krabben. Mehrere Exemplare eines jeden Lebewesens, das am Rande der Lagune und am Barriereriff lebte, wanderten in Dr. Garrisons Leinwandsäcke.

»Wozu machen Sie das?«, fragte Sorry.

»Naja, wir wollen herausfinden, wie sich die Radioaktivität der Bombe auf die Lebewesen hier auf dem Atoll auswirkt. Wenn wir wissen, wie Tiere, Pflanzen und Korallen auf die Strahlung reagieren, dann kann die Wissenschaft vielleicht ein paar Fragen darüber beantworten, wie sich ein Atombombenabwurf auf lebende Organismen auswirkt.«

»Ich verstehe nicht ganz«, sagte Sorry.

Dr. Garrison dachte einen Augenblick lang nach. »Die Strahlung ist natürlich unsichtbar. Man kann sie weder sehen, hören noch schmecken. Aber wenn sie einmal in deinem Körper ist, kannst du sehr krank davon werden und vielleicht sogar sterben. Es hängt alles von der Dosis ab, die du abbekommen hast. Weißt du, was Leukämie ist?«

Sorry schüttelte den Kopf.

»Das ist eine Blutkrankheit. Die weißen Blutkörperchen können sich unter bestimmten Bedingungen unkontrolliert vermehren. Leukämie ist eine der gefährlichsten Krebsarten – ganz besonders für Kinder. Doch auch Erwachsene können sie bekommen. Leukämie tritt manchmal als Folge einer Belastung mit zu starken Röntgenstrahlen und anderen Strahlenbelastungen, wie zum Beispiel einer Atomexplosion, auf.«

Sorry verstand das noch immer nicht. Was waren weiße Blutkörperchen? Er wusste gar nicht, dass es so etwas überhaupt gab. »Werden wir auch diese Krankheit kriegen?«

»Nein, denn ihr seid nicht hier, wenn die Bombe explodiert. Aber die Fische, die Vögel, die Bäume und sogar der Sand können verseucht werden. Nach der Atombombenexplosion tritt etwas auf, das wir Fallout nennen. Das sind winzige, radioaktive Teilchen aus der Explosion, die zum Beispiel in den Seetang der Lagune gelangen können. Den frisst dann ein Fisch, und wenn er zu viel davon isst, wird er krank. Der Fisch fängt vielleicht sogar an im Dunkeln zu leuchten. Wenn ihr solche Fische esst, werdet ihr selber krank.«

Jetzt verstand Sorry besser, wovor Abram solche Angst gehabt hatte. Vergiftete Fische? »Ich wünschte mir wirklich, die Amerikaner würden die Bombenversuche nicht hier machen«, sagte er.

Dr. Garrison ließ die Blicke über die friedliche Lagune, die leise raschelnden Palmwedel und über die wunderschöne Insel wandern. »Ein Teil von mir gibt dir Recht, Sorry, aber mein Interesse als Wissenschaftler spricht dagegen. Ich möchte wirklich gerne wissen, was aus den Fischen, den Vögeln und den Palmen wird, wenn ...«

Eines Nachmittags am Strand bat Sorry Dr. Garrison einen Moment stehen zu bleiben.

»Tara hat gemeint, Sie wüssten bestimmt eine Menge über die Atombombe.«

»Momentan weiß ich noch nicht sehr viel«, antwortete Dr. Garrison.

»Wissen Sie, wie weit beim ersten Test die Menschen von der Bombe entfernt waren?«

»Ich glaube, es waren knapp zehn Kilometer.«

»Ist jemand von ihnen umgekommen oder verletzt worden?«, wollte Sorry wissen.

Dr. Garrison schüttelte den Kopf. »Ich glaube nicht.«

»Werden die Amerikaner die Bombe hier auf viele Schiffe abwerfen?«

»Ja, aber das Hauptziel ist ein altes Schlachtschiff namens Nevada.«

»Wie hoch wird der Bomber fliegen?«

»Etwa acht Kilometer.«

»Wie kann man von so hoch oben das Schlachtschiff überhaupt erkennen?«

»Die Männer an Bord haben extrem leistungsstarke Bombenzielgeräte. Mach dir keine Sorgen, Sorry, sie werden das

Schiff schon sehen. Ich finde es übrigens gut, dass du so ein Interesse an den Tag legst.«

Von seinem Flug nach Rongerik wusste Sorry, wie leicht man Dinge aus der Luft erkennen konnte. Schließlich hatte er ja auch die Thunfische gesehen. Bestimmt würden die Männer in dem Bomber auch ihn entdecken, wenn er mit seinem Kanu in der Lagune war.

»Vielen Dank«, meinte Sorry. »Bis morgen früh dann.«

»Danke noch mal für eure Hilfe«, sagte der Wissenschaftler und lächelte.

Die USS *Nevada* hatte am 7. Dezember 1941 beim japanischen Angriff auf Pearl Harbor mehrere Bombentreffer abbekommen und war dabei auf Grund gelaufen. Danach hatte man sie wieder repariert, neu ausgerüstet und im weiteren Verlauf des Krieges eingesetzt. Nun hatte man dem fünfunddreißig Jahre alten Schlachtschiff einen grellorangenen Anstrich mit weißen Streifen entlang des Hauptdecks verpasst und sie zum Zentrum der Zielflotte gemacht. Über einem ihrer Schornsteine sollte die Bombe gezündet werden.

9

Früh am nächsten Morgen segelte Sorry Dr. Garrison nach Nantil hinüber. Bis Mittag hatte der Wissenschaftler mit seiner merkwürdig aussehenden Waffe sieben verschiedene Vögel geschossen. Von den Köchen der *Sumner* bekam Garrison jeden Tag ein Lunchpaket für sich, Sorry und Lokileni mit, aber an diesem Morgen musste Lokileni zur Schule gehen und konnte nicht mit.

Nach dem Essen meinte Dr. Garrison: »Wir untersuchen die Tiere, weil Menschen den Tests nicht ausgesetzt werden sollen.«

Er erzählte, dass die Marine in einigen Monaten ein besonderes Schiff mit einer Ladung Tiere schicken würde, eine Art Arche Noah sozusagen. Diese Tiere sollten anstelle der Menschen für die Tests herhalten.

Nach Sorrys Empfinden hatte die Marine recht merkwürdige Ideen.

»Schweine nimmt man, weil sie eine ähnliche Haut und vergleichbare Haare haben wie Menschen. Und Ziegen haben Körperflüssigkeiten, die denen von Menschen ähneln.«

»Werden sie getötet?«, fragte Sorry.

»Die Tiere an Deck kommen durch die Explosion sofort um. Andere werden radioaktiv verseucht und später von Ärzten untersucht. Und wieder andere, die tief unter Deck untergebracht sind, bekommen vielleicht gar nichts ab.«

Das Transportschiff sollte den Tieren als Behausung dienen, bis sie ein paar Tage vor dem Bombenabwurf auf die zweiundzwanzig Zielschiffe verteilt würden. Sie sollten sich zum Zeitpunkt der Explosion an Stellen befinden, an denen normalerweise Matrosen auf Kampfstation postiert waren. »Weiße Ratten kommen in den Maschinenraum und in die Mannschaftsunterkunft. Das nationale Krebsforschungsinstitut stellt besondere Mäuse zur Verfügung, von denen die einen stark krebsanfällig sind und andere eher resistent gegen die Krankheit. Nach dem Luftangriff werden sie zu Studienzwecken und für die Weiterzucht nach Washington zurückgeflogen. Manche von ihnen dürften dann allerdings unfruchtbar sein.«

»Weil sie von diesem Gift abbekommen haben, das man nicht sehen, nicht riechen und nicht schmecken kann?«

Dr. Garrison nickte. »Strahlung.«

»Muss man denn die Tiere töten? Geht es nicht anders?«

»Leider nein. Aber ich finde die Versuchsanordnung sehr interessant. So wird man zum Beispiel einige Schweine in Brandschutzanzüge stecken, wie sie normalerweise die Artilleristen tragen. Wie diese werden sie auch mit besonderen Salben eingerieben. Dasselbe wird man mit ein paar der Ziegen machen, die dazu vorher geschoren werden. Man hat sogar eine Blutbank für Ziegen eingerichtet um die Opfer der Explosion behandeln zu können.«

»Werden die Tiere auf den Schiffen denn frei herumlaufen können?«

»Nein, Sorry. Die Ratten, Mäuse und Meerschweinchen werden in Käfige gesteckt. Mehr als sechstausend solcher Drahtbehälter sind gebaut worden. Die Schweine und die Ziegen sind in stallartigen Verschlägen untergebracht. Die Navy hat dafür fünftausend Ballen Heu gekauft.«

Sorry hatte noch nie etwas von Meerschweinchen gehört. Und weiße Ratten gab es auf Bikini auch nicht. Doch die Vorstellung, dass die Tiere radioaktiv verseucht würden, entsetzte ihn.

»Es werden Dinge passieren, die weit über das hinausgehen, was wir uns vorstellen können«, meinte Dr. Garrison. »Große Flugzeuge, umgebaute Bomber, werden ohne Piloten durch die radioaktive Wolke fliegen. Sie werden ferngesteuert von Eniwetok aus starten und dort auch wieder landen.«

»Wie geht das denn?«

»Mit Radiowellen.« Dr. Garrison hielt inne. »Der Krieg ist eine schreckliche Angelegenheit, Sorry, aber er sorgt auch dafür, dass es wissenschaftlichen Fortschritt gibt. Auf den Gebieten der Medizin und der Waffentechnik, zum Beispiel, aber auch in der Kommunikationstechnik beim Flugzeugbau und sogar in den Ernährungswissenschaften. Und dann gibt es da noch etwas, das man Fernsehen nennt. Das sind Bilder, die sich bewegen und ebenfalls durch Radiowellen übertragen werden. Es wurde in den letzten zehn Jahren perfektioniert, und jetzt werden wir es für unsere Tests benutzen.«

»Ist das so etwas wie ein Film?« Sorry und Lokileni hatten erst kürzlich auf dem Achterdeck der *Sumner* ihren ersten Kinofilm gesehen.

»Ja, aber anders. In fünf oder sechs Jahren wird es in allen Haushalten Fernseher geben.«

»Können wir hier auf den Atollen auch so etwas sehen?«

»Ich schätze mal, dass das noch sehr lange dauern wird.«

»Warum hat uns die Welt draußen denn so weit hinter sich gelassen?«, fragte Sorry.

»Weil ihr hier so weit von der Zivilisation entfernt seid. In gewisser Weise könnt ihr euch deshalb sogar glücklich schätzen. Viele Menschen träumen davon, auf einer eurer Inseln zu leben, aber die wenigsten von ihnen würden das auch durchhalten. Sie würden ganz einfach verhungern.«

»Werden wir denn jemals den Vorsprung der anderen einholen?«, wollte Sorry wissen.

»Ich hoffe, dass ihr das nicht tut. Aber falls doch, dann geschieht das hoffentlich so langsam wie möglich. Manches Mal habe ich mir schon gewünscht, dass es keine Flugzeuge gäbe und dass die Atombombe nie gebaut worden wäre. Eines Tages werde ich mir vielleicht auch wünschen, dass es kein Fernsehen gibt.«

Dr. Garrison hörte sich schon fast so an wie Großvater Jonjen. »Wie können Sie sich so etwas wünschen? Sie sind doch Wissenschaftler ...«

»Das, was ich normalerweise untersuche, hat nichts mit moderner Technik zu tun. Die meisten meiner Forschungsobjekte gibt es auf die eine oder andere Art schon seit einer Million Jahren.«

Es war an der Zeit, weitere Vögel in die Beutel zu packen.

Als sie wieder auf Bikini waren, setzten sich Sorry und Dr. Garrison neben den Kanuschuppen und warteten auf das Landungsboot, das den Wissenschaftler wieder auf die *Sumner* bringen sollte.

Sorry fragte, an welcher Stelle genau die Bombe abgeworfen werden sollte.

»Soviel ich weiß, etwa fünf Kilometer von hier entfernt«, antwortete der Amerikaner und deutete hinaus auf die Lagune. »Dort soll die *Nevada* liegen. So habe ich es jedenfalls auf dem Schiff gehört.«

»Gestern haben sie im Radio gesagt, dass es neunzig bis hundert weitere Zielschiffe geben wird.«

»Das hat man mir bei der Einsatzbesprechung in Pearl Harbor auch gesagt. Es werden wohl auch einige richtig große Schiffe darunter sein. Sogar ein paar von den japanischen und deutschen Schiffen, die wir im Krieg erbeutet haben. Außerdem Flugzeugträger wie die *Independence* und die *Saratoga*. Und natürlich U-Boote und Zerstörer. Ganz unterschiedliche Schiffe eben.«

»Einfach nur um sie in die Luft zu jagen?«

»Man will sie testen«, erwiderte Dr. Garrison. »Die Marine will herausfinden, ob Schiffe auch nach einer Atomexplosion in ihrer Nähe noch einsatzfähig sind. Kein Mensch kann sagen, was passieren wird, Sorry. Das ist das Gespenstische an der Sache.«

Sorry nickte ernst.

»Sie wollen niemanden hier von euch umbringen. Hiroshima und Nagasaki haben die Menschheit in Angst und Schrecken versetzt, sogar die Wissenschaftler, die diese verdammten Bomben selbst konstruiert haben.«

»Es gibt ja auch allen Grund Angst zu haben«, pflichtete Sorry ihm bei und dachte bei sich: Ich jedenfalls *habe* Angst.

»Meines Wissens nach soll eine B-29 Superfortress die Bombe so abwerfen, dass sie 150 Meter über der *Nevada* explodiert.«

Kurz darauf kam das Landungsboot und brachte Dr. Garrison zurück auf die *Sumner*.

Der amerikanische Präsident Harry S. Truman und die Mitglieder des Kongresses wurden mit Tausenden von Briefen förmlich überschwemmt. Obwohl Bikini knapp zweitausend Kilometer von Kalifornien entfernt lag, hatten auch dort die Menschen Angst vor der *Operation Crossroads*. Was, wenn die Bombe ein Loch in die Erdkruste sprengte, in dem der Ozean verschwände? Würde da die Erde nicht so sehr aus dem Gleichgewicht kommen, dass sie ihre Drehung einstellen würde? Was wäre, wenn sich alle Weltmeere aufgrund der Strahlung gelb verfärbten? Wer konnte garantieren, dass die Bombe nicht den gesamten Sauerstoff der Atmosphäre verbrannte? Würde es auf Hawaii eine riesige Flutwelle geben?

Die Marine hielt in Zeitungsartikeln und Radiosendungen dagegen und hoffte auf diese Weise die öffentliche Meinung für ihr Vorhaben zu gewinnen.

10

Ein paar Tage später filmte ein Team der Marine den letzten Sonntagsgottesdienst auf Bikini. Das Material sollte auf der ganzen Welt in Wochenschauen gezeigt werden und die Zuschauer davon überzeugen, dass die Leute von Bikini mit den Tests einverstanden waren. Für die Messe zogen die Dorfbewohner immer ihren Sonntagsstaat an und die Mädchen und Frauen trugen Blütenkränze. Tara erschien in ihrem Blumenkleid aus Hawaii, Lokileni in ihrem weißen und auch Sorrys Mutter hatte sich ihr bestes Kleid angezogen, das mit kleinen, purpurnen Blumen bedruckt war. Sorry trug sein weißes Hemd und eine weiße Hose. Die meisten Mädchen und Frauen hatten sich eine rote Hibiskusblüte ins Haar gesteckt. Sie sahen sehr schön aus, aber keine von ihnen lächelte.

Vor laufenden Kameras sang man Choräle, und Großvater Jonjen las aus seiner Bibel und hielt eine Predigt. Der Gottesdienst wurde dort abgehalten, wo früher die Kirche gestanden hatte. Vor einem Tisch, der als Altar diente, betete Großvater Jonjen, dass Gott die Insel verschonen und seine Gemeinde auf Rongerik beschützen möge.

Der Gottesdienst wurde immer wieder durch das Filmteam gestört. Die Amerikaner schoben dauernd die Kamera herum und sagten Tara, sie solle Jonjen dazu bringen, dass er in diese oder jene Richtung blicke und den einen oder anderen Satz noch einmal wiederhole. Nach einer Weile war Jonjen völlig verwirrt und Sorry verärgert und wütend.

Schließlich riss Tara der Geduldsfaden. »Das reicht jetzt!«, rief sie auf Englisch.

Sorry spürte, wie die Stunden und Minuten verrannen. Ihre Zeit auf Bikini war fast abgelaufen, jetzt zählte jeder Augenblick. Bald würde die 1108 wiederkommen und sie abholen.

Außer dem Filmteam waren auch einige Fotojournalisten aus New York gekommen. Tara dolmetschte für sie und versuchte gleichzeitig sie auf das Schicksal der Inselbewohner aufmerksam zu machen und ihnen zu erzählen, wie die Marine sie getäuscht hatte.

»Aber die Reporter hören mir gar nicht zu«, beschwerte sie sich bei den Dorfbewohnern. »Sie konzentrieren sich nur auf das, was die Marine macht. Sie wollten von mir wissen, ob ich glaube, dass die Bombe alle unsere Palmen umknicken wird. Ich habe geantwortet, dass Palmen sehr biegsam sind und dass die Explosion vielleicht nur die trockenen Wedel wegfetzen wird. Was für eine dumme Frage! Nicht einmal ein Taifun kann eine Palme knicken. Niemand interessiert sich wirklich dafür, dass wir unsere Insel verlieren.«

Die Journalisten blieben noch ein paar Tage, dann brachte sie ein Flugboot wieder nach Kwajalein zurück.

Tara meinte, dass vermutlich jede Zeitung der Welt über die Atombombentests berichten würde – und über die einfachen, vertrauensvollen Menschen in einem winzigen Dorf, die jahrzehntelang abgeschottet von der Zivilisation gewesen waren und nun von heute auf morgen ins zwanzigste Jahrhundert katapultiert wurden. Durch den Äther schwirrten Radiomeldungen in jeder Sprache. Tausende von Fotos wurden geschossen und viel Schwarzweiß-Material für die Wochenschauen gedreht.

Am Morgen des 6. März versammelten sich die Bewohner wieder in ihren besten Kleidern, fegten mit Palmwedeln den

Friedhof und pflückten die letzten noch blühenden Blumen für die Gräber. Großvater Jonjen hielt einen Totengottesdienst, bei dem er insbesondere Abram Makaoliej gedachte und sich von den Toten der Insel für eine Weile verabschiedete. Wieder flackerten die Blitzlichter der Fotoapparate auf und die Filmkameras surrten. Gerade als Großvater Jonjen den Toten die Ehre erwies, verlangten die Filmleute von ihm, er solle doch näher an den großen weißen Grabstein herantreten. Sorry beobachtete, wie Tara verärgert die Augen schloss.

Mit einem Landungsboot von der *Sumner* traf dann Commodore Wyatt zusammen mit einigen Offizieren und dem Dolmetscher Azakel ein. Dieser steuerte sofort auf Häuptling Juda zu und ignorierte Tara völlig. Er informierte Juda, dass der Gouverneur für die Kameras noch einmal die Szene vom zehnten Februar nachstellen wolle, bei der die Dorfbewohner eingewilligt hatten aus reiner Gottgefälligkeit ihr Dorf zu verlassen.

Juda willigte ein und Tara wandte sich wütend ab.

Sorry überlegte, ob er hinter ihr hergehen sollte, entschied sich dann aber anders. Er wollte sehen, was als Nächstes passierte.

Azakel forderte die Dorfbewohner auf, sich genau dort hinzustellen, wo sie am Sonntag vor drei Wochen auch gestanden hatten. Und die Leute taten das wirklich, wie die Schafe, von denen Abram erzählt hatte. Wyatt setzte sich auf einen Palmstumpf, der alte Lokwiar auf eine Kiste, und alle anderen nahmen im Sand Platz. Leje Ijjirik hatte seinen japanischen Soldatenhut auf.

Dann wurde das Geschehen dieses verhängnisvollen Februartages immer wieder nachgespielt, so, wie die Marine es für ihre Propaganda benötigte.

Sorry hörte, wie Azakel alle aufforderte zu lächeln, aber nur wenige kamen seinem Verlangen nach. Die meisten Inselbewohner saßen mit gesenkten Köpfen im Sand. Schämten sie sich, weil sie sich von ihrem Grund und Boden hatten verjagen lassen? Oder waren sie einfach nur abgestumpft? Sorry wusste es nicht.

Bevor an diesem Tag die Kameras ausgeschaltet wurden, fingen sie noch die in der Lagune spielenden Kinder ein, wie sie lachten und kreischten und das Leben genossen. Die Objektive machten Jagd auf jedes lächelnde Gesicht. Wer diese Filme sah, der musste den Eindruck bekommen, dass die Einwohner von Bikini eigentlich ganz zufrieden damit waren, ihre Heimat zu verlassen und so der Menschheit Gelegenheit zu geben mehr über die Atombombe in Erfahrung zu bringen.

Während Sorry den Kameraleuten zusah, dachte er, dass Abram in diesem Moment lauthals »*Letao!*« gerufen hätte – Lügner.

Und genau so machte Sorry es auch.

Anfang März sollte das 53. Marinepionier-Bataillons nach Bikini kommen. Eine Einheit, deren tausend Mann im Krieg alles Mögliche errichtet hatten, von der einfachen Baracke bis hin zum kompletten Flugplatz. Mit ihren Planierraupen, Schweißgeräten, elektrischen Sägen und Betonmischmaschinen würden die berühmten *Seabees* die Insel in eine atomare Testanlage verwandeln. Zusätzlich würden noch zwanzig Kipper und drei Kräne auf die Insel gebracht werden. Die schweren Baumaschinen würden ziemlich merkwürdig aussehen, wenn sie die idyllische Dorfstraße aus rotem Korallenkies entlangrollten.

11

Vielleicht bildete er es sich ja nur ein, aber Sorry fand die Morgendämmerung des 7. März 1946 eine der schönsten, die er in seinem ganzen Leben gesehen hatte. Jonjen hatte die Familie geweckt und war dann zusammen mit Sorry und Lokileni, Tara, Mutter Rinamu und Großmutter Yolo an den Strand gegangen um den Sonnenaufgang anzusehen. Im Osten waren ein paar niedrige Wolken aufgezogen und als die Sonne am Horizont erschien, umgab sie deren dunkle, geballte Konturen mit ihren goldenen Strahlen. Der Himmel war tief dunkelblau und schien die funkelnden Säume zu berühren. Es wehte ein warmer Wind und die Lagune war voller kleiner, weißer Schaumkronen.

Nach und nach kamen auch die anderen Dorfbewohner aus ihren Häusern, die jetzt nur noch aus kahlen Gerüsten bestanden. Nur ein paar sonnengebleichte Strohdächer waren übrig geblieben. Alle zusammen betrachteten sie stumm die Schönheit ihrer Insel. Sie blieben am Strand, bis die Sonne vollständig aufgegangen war.

Obwohl Sorry sich so oft gewünscht hatte dem Atoll den Rücken zuzukehren und nach *ailiñkan* zu fahren, wünschte er sich jetzt nichts sehnlicher als auf Bikini bleiben zu können.

Am späten Vormittag begannen die Inselbewohner damit, all ihre Habseligkeiten in die 1108 zu laden. Ein amphibisches Transportfahrzeug, das die Amerikaner »Ente« nannten, pendelte zwischen dem Landungsschiff und ihren ehemaligen Behausungen hin und her. Die kleinen Kinder, die dabei oben auf der Ladung sitzen durften, freuten sich königlich und schrien und lachten. Außer ihnen lachte an diesem Tag niemand.

Sorry und Jonjen trugen vorsichtig die Kommode auf das Schiff und stellten sie an einem sicheren Platz auf dem unteren Frachtdeck der 1108 ab. Gleich daneben verstauten sie den Holzstuhl aus Nantil. Die meisten ihrer anderen Habseligkeiten hatten sie in Matten gewickelt.

Dann wurden bündelweise unbearbeitete Pandanuspalmenblätter an Bord gebracht, und die Ente holte die Wellblechstücke, die zum Auffangen des Regenwassers für die Zisternen benutzt worden waren.

Bis auf die kleinen Kinder waren alle beschäftigt und die amerikanischen Wochenschau-Kameras nahmen wieder alles auf. Irgendwann war dann alles in der großen 1108 verstaut.

Ganz zum Schluss wurden die Kanus verladen. Der riesige Kran hob sie wie Spielzeug und setzte sie vorsichtig auf dem Hauptdeck ab. Sorry half dabei, die Kanus zu vertäuen.

Als Lokileni noch ein kleines Mädchen war, hatte Mutter Rinamu ihr eine Puppe aus Stoffresten gebastelt. Lokileni hatte sie Leilang genannt. Während sie und Sorry zum letzten Mal ihre Augen über den Platz wandern ließen, wo ihr Haus gestanden hatte, sagte Lokileni zu Sorry: »Ich habe darüber nachgedacht, wo ich Leilang lassen soll.«

»Willst du sie denn nicht mitnehmen?«, fragte Sorry.

»Ich möchte, dass etwas von mir hier zurückbleibt. Sie könnte ja auf unser Land Acht geben, bis wir wiederkommen. Aber wo soll ich sie hintun?«

Sorry hatte mit einem Mal einen Kloß im Hals. »Was hältst du davon, sie mit *sennit* zu umwickeln und sie hoch oben in der Palme hier festzubinden?« Es fiel ihm einfach nichts Besseres ein.

»Wird sie denn da nicht von der Explosion heruntergeblasen?«

Sorry schaute auf die schmutzige, alte Puppe und dann ins besorgte Gesicht seiner Schwester. Er seufzte und sagte: »Warum legst du sie nicht in den Graben? Da wird der heiße Wind einfach über sie hinwegwehen.«

Lokileni schüttelte den Kopf. Sie drückte die Puppe an ihre Wange und kämpfte gegen ihre Tränen an. »Nein«, widersprach sie und versuchte zu lächeln. Dann kniete sie sich hin.

Sorry sah zu, wie seine Schwester ihrer Puppe einen Abschiedskuss gab und sie dann mit dem Rücken gegen einen Hauspfeiler gelehnt in den Sand setzte. Dann hob Lokileni den Blick. Ihre Augen schimmerten feucht.

Inzwischen war es schon fast zwei Uhr und Zeit, an Bord der 1108 zu gehen. Doch als die Familie sich gemeinsam auf den Weg machen wollte, stellte sie fest, dass Großmutter Yolo fehlte.

Vor einer halben Stunde, als sie ihre letzten Sachen aufs Hauptdeck des Landungsschiffes gebracht hatten, hatten sie sie noch gesehen und seitdem nicht mehr. Sofort begannen die Rinamus den Strand abzusuchen und laut nach ihr zu rufen. Schließlich war es bei Yolo nichts Seltenes, dass sie einfach davonlief.

Die wenigen Leute, die noch an Land waren, halfen der Familie bei der Suche nach Großmutter Yolo.

Jonjen runzelte die Stirn und sagte: »Vielleicht ist sie auf ihrem Lieblingsfelsen.« Der befand sich auf der Seite der Insel, die zum offenen Meer hin zeigte, damit sich Yolo mit den Geistern des Meeres austauschen konnte.

Sorry, seine Mutter, Tara Malolo und Lokileni rannten über den Graben und ließen einen beunruhigten Jonjen zurück.

Bald kamen sie an den Felsen, aber Yolos magere Gestalt saß nicht darauf. Der ganze weite Strand zum offenen Meer hin war verlassen. An diesem Tag brandeten hohe Brecher mit weißen Schaumkronen gegen die Insel; wenn sie sich draußen am Riff brachen, stob die funkelnde Gischt hoch in den Himmel.

Eine Stunde lang suchten sie das gesamte Riff ab, aber nirgends war eine Spur von Großmutter Yolo zu finden. Sie hatte sich nicht versteckt, sie war Sorrys Vater in sein feuchtes Grab im Ozean gefolgt und würde nun der Hexe Libokra nie ins Gesicht blicken müssen.

Die Rinamus weinten leise und trösteten sich gegenseitig in ihrem Schmerz.

Langsam gingen sie zurück zur Lagune um es Großvater Jonjen zu sagen. Er blickte zitternd zum Barriereriff hinaus, schloss die Augen und sprach ein stilles Gebet. »Ich hätte mit ihr gehen sollen«, sagte er schließlich.

Dr. Garrison war von der *Sumner* herübergekommen um sich zu verabschieden. Für Tara, Lokileni und Sorry hatte er Geschenke aus dem Schiffskiosk mitgebracht.

Sorrys Mutter und Jonjen gingen mit gesenktem Kopf an Bord der 1108.

Sorry und Tara unterhielten sich noch ein paar Minuten mit Dr. Garrison. Dann meinte Tara: »Bitte sagen Sie uns die Wahrheit. Wann glauben Sie, dass wir wieder zurückkommen können?«

Dr. Garrison warf einen langen Blick auf die Insel und wandte sich dann wieder Tara zu. »Das weiß niemand. Vielleicht nie«, sagte er traurig.

Vielleicht nie! Die Worte schnitten sich in ihre Seelen und nahmen ihnen alle Hoffnung. Da war sie also endlich, die Wahrheit. Tara und Sorry spürten beide die ungeheuerliche Tragweite dessen, was Dr. Garrison gerade gesagt hatte. *Vielleicht nie.*

Mit Mühe gelang es ihnen, sich von Dr. Garrison zu verabschieden und ihm die Hand zu geben. »Das muss unter uns bleiben. Die anderen dürfen die Hoffnung nicht verlieren«, sagte Tara zu Sorry, als die beiden an Bord gingen.

Dann wurde die Laderampe nach oben gefahren, die Bugklappen wurden geschlossen und die Dieselmotoren am Heck des Schiffes angeworfen. Beißender Qualm legte sich über das Oberdeck. Sie fuhren mit der Flut.

Dr. Garrison stand in einer Gruppe von Offizieren und Unteroffizieren am Strand, die den Inselbewohnern zum Abschied zuwinkten. Dann wandte er sich ab und ging langsam auf die Reste des Dorfes zu. Offenbar konnte er die Vorgänge nicht mehr länger ertragen.

Kurz darauf setzte sich die 1108 rückwärts in Bewegung. Die meisten Dorfbewohner standen an der Backbordreling auf dem Oberdeck. Mit Tränen in den Augen blickte Sorry sich um und erkannte, dass auch die älteren Männer mit ihren Gefühlen zu kämpfen hatten. Der Schmerz schnürte ihnen Brust und Kehle zu. Viele hielten sich eine Hand vor den Mund.

Es war Großvater Jonjen, der schließlich in seiner Trauer um Yolo ein Lied anstimmte. Nach und nach begannen die anderen mitzusingen.

O Gott, du halfst in Sturm und Not,
hilf uns auch morgen recht zu leben.
Gib Schutz uns und das täglich Brot
und für die Zukunft deinen Segen.

Tara griff nach Sorrys Hand und Sorry legte Lokileni den Arm um die Schulter. Sein Mund zitterte, während die Stimmen langsam verklangen.

Tara sah mit starrem Blick zur Insel hinüber. Ihre Augen funkelten wütend.

Während sie an Bikini vorbeifuhren, sahen sie an der Steuerbordseite der *Sumner* dicht an dicht die Offiziere und Mannschaften des Schiffes stehen und herüberwinken. Auch von ihnen mussten sich einige zur Seite wenden. Das Landungsschiff nahm Kurs auf die Stelle, an der später die Nevada ankern würde.

Sie fuhren an Bokantuak, Eomalan und Rojkora vorbei, wo Abram und Sorry dem riesigen Tigerhai begegnet waren. Hinter Eonjebi bogen sie in den Enyu-Kanal ein.

Während die Dieselmotoren lautstark brummten, sahen die Inselbewohner zu, wie Bikini immer kleiner und kleiner und dann noch kleiner wurde, bis es schließlich am Horizont verschwand.

Während die 1108 durch die Nacht schaukelte, klatschten die Wellen lautstark gegen ihren stählernen Rumpf. Die Menschen lagen auf ihren Matten über das Oberdeck verteilt, wobei die Familien nahe bei ihrem Hab und Gut blieben.

Tara entschloss sich auf dem Vordeck zu bleiben. Gedankenverloren starrte sie in die Dunkelheit. Am frühen Abend stieg Sorry zu ihr herauf und stellte sich neben sie. Nach einer Weile kam Sorrys Mutter und Sorry ging wieder nach unten. Er legte sich zu Lokileni auf das kalte, stählerne Hauptdeck, das eigentlich für Panzer gebaut war und nicht für schlafende Menschen. Steif und stumm lagen sie auf ihren Matten, spürten den kalten Tau auf der Haut und vermissten den weichen Sand von Bikini.

Es gab jetzt einen Behelfsflugplatz auf der Insel Enyu, den die Pioniere mit ihren Planierraupen angelegt hatten. Immer mehr amerikanische Schiffe liefen in die Lagune ein und Tag für Tag kamen mindestens zweitausend Matrosen zur Erholung in das ehemalige Dorf auf Bikini. Dort wo früher die Hütten gestanden hatten, gab es jetzt fünf betonierte Basketballfelder, außerdem vier Baseball- und zehn Volleyballplätze. Es gab ein Offizierskasino und eine Mannschaftskantine, in der das Bier zehn Cents kostete, und einen Sender namens »Radio Bikini«, der die Welt täglich mit Neuigkeiten von der Insel versorgte. Bikini war nun vollkommen amerikanisiert.

12

Nicht lange nach dem Frühstück am nächsten Morgen, als gerade eine Herde Tümmler vor dem Bug der 1108 herumsprang, tauchte die kleine, der Lagune von Rongerik vorgelagerte Insel Bok auf. Sorry wusste, dass sich ihre Reise dem Ende zuneigte. Mitten in der Nacht hatten sie Rongelap passiert, die Insel, von der Tara stammte. Wenigstens sie war auf Rongerik nur wenige Kilometer von ihrer Familie entfernt. Bald war das Vordeck voller Menschen, die, noch bevor der Anker geworfen wurde, gespannt zu ihrer neuen Insel hinübersahen. Der Strand war breiter als der auf Bikini und auf einem Stück davon wuchsen rot blühende Hibiskusbüsche – das war ein gutes Zeichen. Aus der Entfernung wirkten die Kokos- und Pandanuspalmen gar nicht so übel. Im hellen Sonnenlicht erkannten sie die Zeltdächer ihrer neuen Behausungen. Auch die Kirche und das Gemeinschaftsgebäude mit Taras neuer Schule waren bereits errichtet. Aus zwei Kilometern Entfernung machte die Insel einen guten Eindruck.

Tara trat hinter ihnen auf das Deck. »Wir können erst anlanden, wenn das Wasser etwas höher steht«, sagte sie.

Also verbrachten sie den Tag voller Ungeduld an Bord. Sie hockten herum, liefen auf und ab, redeten miteinander und blickten immer wieder zur Insel hinüber. Sorry brannte darauf, ihr neues Zuhause zu sehen.

»Wenn dir der Holzfußboden in unserem Haus nicht passt, können wir ihn ja jederzeit wieder herausreißen und auf dem Sand schlafen«, meinte Sorrys Mutter.

»Irgendwie gefällt mir die Lagune nicht«, sagte Sorry. »Sie ist grade mal so groß wie der Abstand zwischen Rojkora und Enyu, und ein ordentliches Kanurennen kann man darauf auch nicht veranstalten.« Er hörte sich an wie Abram.

»Stimmt schon, sie ist viel kleiner als unsere«, nickte Sorrys Mutter, »aber hoffen wir, dass viele Fische drin sind.«

»Bisher habe ich noch keinen einzigen gesehen«, sagte Sorry und wandte sich ab.

Häuptling Juda, Manoj Ijjirik und Tara fuhren mit einem Landungsboot zur Insel um festzulegen, welche Familie, welches Haus bekommen sollte. Bevor sie ablegten, sagte Tara: »Es werden sicher nicht alle mit dem Haus zufrieden sein, das wir für sie aussuchen.« Beabsichtigt war die Familien im Großen und Ganzen so zu verteilen wie auf Bikini.

Sorrys Mutter meinte: »Wir können doch immer noch tauschen.«

Gegen fünf Uhr früh war das Wasser endlich so weit gestiegen, dass die 1108 anlanden konnte. Minuten später schob sich ihre große Nase auf den Strand. Sorry und seine Familie gingen an Land und nachdem sie ein Zelthaus gefunden hatten, über dessen Eingang mit roter Kreide »Sorry Rinamu« geschrieben stand, trugen sie ihre Sachen hinein. Rings um die Häuser stand immer noch dichtes Gestrüpp, auch wenn die Pioniere schon viel davon gerodet hatten.

Die Matrosen hängten Flutlichtscheinwerfer auf, während die Menschen ihre Habseligkeiten vom Schiff in ihre neuen Behausungen schafften. Alle Sachen waren mit einem salzigen Film überzogen.

Am nächsten Morgen machte Lokileni sich im Haus beim Auspacken der wenigen Habseligkeiten nützlich und Sorry half den auf der Insel verbliebenen Pionieren beim Bau weiterer Zisternen.

Am Nachmittag machten sie sich auf, die neue Insel zu erkunden. Nachdem sie eine ganze Weile am Rand der Lagune entlanggegangen waren, fragte Sorry besorgt:»Wo sind hier die Fische, Lokileni? Wo sind sie bloß?« Genau wie sein Vater hatte er einen guten Blick dafür, wo Fische sich aufhielten.

Nirgendwo ließen kleine Fischschwärme auf das Vorhandensein von größeren Raubfischen schließen, so wie Sorry es von der Lagune vor Bikini gewohnt war. Daraufhin gingen sie ganz nahe am Wasser entlang, konnten aber nur einige wenige *jebaks* ausmachen, nutzlose Eidechsenfische, die man auf Bikini sehr zahlreich in allen seichten Gewässern fand. Auch Halbschnabelhechte, die sich von Algen ernährten, waren so gut wie keine da.

»Vielleicht gibt es ja bloß um diese Insel herum keine Fische«, sagte Sorry.

Schließlich hatte das Atoll ja noch andere Inseln. Trotzdem war es beunruhigend, wenn es in einer tropischen Lagune praktisch keine Fische gab. Mehr als das: Es war beängstigend.

Als Nächstes gingen Sorry und Lokileni in das dichteste Palmenwäldchen, das sie entdecken konnten. Zwischen den Stämmen wucherte jede Menge Gestrüpp, das seit vielen Jahren nicht mehr gerodet worden war. Tara hatte erzählt, dass die Bewohner von Rongelap zwar nach Rongerik hinübergefahren seien um dort Kokosnüsse zu ernten, dass sie sich ansonsten aber nicht um die Erhaltung der Palmenhaine gekümmert hätten.

Sorry und Lokileni kehrten an den Strand zurück und umrundeten von dort aus gemächlichen Schritts in knapp einer Stunde die gesamte Insel. Als sie wieder in der Nähe des Dorfes waren, hörten sie vom Strand der Lagune her lautes Kindergeschrei und rannten hinüber. Ein etwa vierjähriger

Junge aus der Familie Kejibuki lag direkt am Wasser auf dem Rücken und streckte seinen rechten Fuß in die Luft. Dabei schlug er mit den Armen wild um sich und wälzte sich im Sand. Alle Kinder um ihn herum schrien, aber er brüllte am lautesten. Vor ihm auf dem Sand zuckte ein Steinfisch, der giftigste Fisch weit und breit. Einer seiner Stacheln hatte sich in den Fuß des Jungen gebohrt, als dieser durchs seichte Wasser gewatet war.

Sorry hob den Jungen auf und rannte mit ihm zu dem amerikanischen Sanitäter, der zusammen mit sechs Pionieren auf der Insel zurückgeblieben war. Der säuberte die Wunde und gab dem Jungen eine Tetanusspritze, aber gegen Abend schwebte er noch immer in Lebensgefahr.

In den kommenden Tagen erholte sich der Junge ganz langsam, aber Sorry musste bald feststellen, dass in der Lagune noch andere giftige Fische lebten – *kale* zum Beispiel, der wunderschöne Zebrafisch, und auch der hässliche Drachenkopf traten an manchen Orten in großer Anzahl auf.

All das Schlechte, was sie jemals von dem Atoll gehört hatten, schien sich jetzt zu bewahrheiten. Die Palmen waren älter als die auf Bikini und viele von ihnen trugen keine Frucht mehr. Die Nüsse, die noch wuchsen, waren zu klein und zu wenige um daraus Kopra zu machen. Nicht einmal die Fasern der Kokusnussschalen waren stark genug für gutes *sennit*. Die Pandanuspalmen auf Rongerik hatten nicht so viele Blätter wie die auf Bikini und es gab keine Tarogruben. Vielleicht hatte Großmutter Yolo doch Recht gehabt, vielleicht lag die böse *ekejab* Libokra noch immer nachts zusammen mit den Teufelsfischen in der Lagune auf der Lauer.

Schon am Ende der ersten Woche auf Rongerik hatten alle großes Heimweh. Nur Häuptling Juda behauptete steif und fest, dass sich bald alles zum Guten wenden würde.

Die Häuser rochen nach Farbe, die Fußböden knarrten und die Segeltuchdächer der Navy verhinderten den Luftaustausch. Als Sorry sich darüber beklagte, sagte seine Mutter: »Vielleicht sollten wir das Dach wieder abnehmen und uns stattdessen eines aus Stroh bauen.«

»Wir müssen weg von hier«, meinte Sorry. »Wir müssen wieder nach Hause zurückkehren.«

»Aber das ist unmöglich.«

»Da bin ich mir nicht so sicher«, sagte Sorry.

Seine Mutter sah ihn an und runzelte die Stirn.

Etwa 5000 weiße Ratten, 204 Ziegen, 200 weiße Mäuse, 200 Schweine und 60 Meerschweinchen mussten drei Tage vor dem Atombombenversuch auf bestimmten Zielschiffen untergebracht werden.

13

Lieutenant Hastings hatte Tara ein von der Pressestelle der Operation Crossroads herausgegebenes Informationspapier zum richtigen Verhalten bei auftretender Radioaktivität ausgehändigt. Nachdem Tara es ein paar Mal durchgelesen und versucht hatte seinen Inhalt zu verstehen, nahm sie es mit zur Schule um es im Unterricht für die älteren Schüler zu verwenden.

Sorry hörte durch ein Fenster zu.

»Es gibt zwei Arten von Radioaktivität. Die eine ist natürlich, die andere wird von Menschen gemacht. Der natürlichen Radioaktivität sind wir jeden Tag ausgesetzt, zum Beispiel durch Strahlen, die aus dem Weltall kommen. Aber es gibt auch Gegenden auf der Erde, an denen natürliche Radioaktivität von strahlenden Metallen wie Uranerz kommt. Die Radioaktivität auf Bikini hingegen wird von Menschenhand gemacht sein ...«

Tara merkte, dass ihre Schüler überfordert waren und wischte sich mit der Hand über die Stirn.

»Nun gut, eine Atombombe ist eine Bombe, deren Explosivkraft von einer auf Kernspaltung basierenden Kettenreaktion herrührt. Gespalten wird ein künstlich hergestelltes Metall, das Plutonium genannt wird. Es ist alles sehr kompliziert ... und ... es tut mir Leid ...« Tara schüttelte den Kopf, faltete das Informationsblatt zusammen und sagte: »Versucht habe ich es zumindest.«

Sie runzelte die Stirn und war unzufrieden mit sich selbst,

weil sie das, was die Wissenschaftler schrieben, nicht in einfachen Worten erklären konnte. »Auf jeden Fall wäre die Welt besser dran, wenn diese grauenhafte Waffe niemals erfunden worden wäre«, sagte sie schließlich und ging zum normalen Englischunterricht über.

Sorry hörte weiter zu, aber er konnte sich nicht auf den Unterricht konzentrieren. Es ging ihm ständig durch den Kopf, was ihm Dr. Garrison über die Krankheit namens Leukämie und darüber erzählt hatte, wie von der Atombombe Fische, Vögel und Palmen krank wurden.

Am meisten ärgerte sich Tara über das, was die Marine der Welt mitteilte. An jedem Nachmittag saß sie vor dem neuen amerikanischen Radioapparat, den der Commodore samt zugehörigem Generator den Inselbewohnern geschenkt hatte, und notierte sich das, was sie in den Nachrichten hörte.

Die dabei gewonnenen Informationen gab sie, wie bereits auf Bikini, jeden Abend den Dorfbewohnern weiter. Bei einer dieser Zusammenkünfte sagte sie verbittert: »Heute hat in Washington ein Admiral den Reportern erzählt, dass wir uns hier ganz wunderbar eingelebt haben und rundum glücklich sind. Und dann hat er noch behauptet, dass Rongerik eine viel größere Insel als Bikini sei. *Der Mann ist noch nie hier gewesen!*«

In den langen Wochen, in denen sich die Dorfbewohner redlich bemühten sich an ihre neue Umgebung anzupassen, flog die Marine immer wieder Zeitungsjournalisten und Radiokommentatoren von Bikini ein, damit sie die »primitiven Eingeborenen«, wie einer der Reporter sie nannte, persönlich in Augenschein nehmen konnten.

»Gut, wir sind Eingeborene«, ereiferte sich Tara, »aber deshalb sind wir noch lange keine Steinzeitmenschen.«

Jedes Mal, wenn neue Journalisten kamen, versuchte Tara

aufs Neue ihnen die wahre Geschichte der Umsiedelung zu erzählen.

»Die Presseleute leiden alle unter dem Hawaii-Syndrom«, erklärte sie Sorry nach einem dieser fruchtlosen Treffen. »Sie brauchen bloß die Palmen und die Lagune zu sehen und schon glauben sie, nicht vorhandene Gitarrenklänge zu hören. Sie schauen sich um und sagen: ›Hübsches Fleckchen Erde. Hier könnte ich es gut aushalten.‹ Und dann fliegen sie wieder zurück nach Bikini, zu ihren Reiseschreibmaschinen und ihrem Sonnenöl.«

Mitte Juni begann Sorry damit, Abrams gestohlenes Kanu mitsamt seinem Segel rot anzustreichen. Soweit es das Boot betraf, konnten die Dorfbewohner das verstehen, aber sie fragten sich, weshalb Sorry auch das Segel anmalte. Dadurch würde es doch ganz steif werden und schwierig zu benützen sein!

Als sie Sorry darauf ansprachen, entgegnete er mit einem breiten Grinsen: »Damit etwas Farbe aufs Meer kommt!«

Kein Kanute von den Marshallinseln konnte sich mit dieser Antwort zufrieden geben. Er würde nie etwas tun, was Geschwindigkeit oder Wendigkeit seines Bootes beeinträchtigen würde.

»Du führst doch was im Schilde«, sagte Manoj Ijjirik, während er Sorry dabei zusah, wie dieser rote Farbe aufs Segel strich. »Aber was?«

»Das wirst du bald erfahren, Manoj«, antwortete Sorry.

Er hatte in den letzten Wochen fast nur noch an den Atombombenversuch gedacht. Wieder und immer wieder war er die Einzelheiten seiner Aktion durchgegangen – wann er lossegeln musste und wie weit er von der Abwurfstelle entfernt sein sollte, wenn der Bomber im Anflug auf Bikini war. Sorry war sich ganz sicher, dass die Piloten den knallroten Farbklecks auf dem blauen Wasser der Lagune nicht übersehen konnten. Die Journalisten würden es sofort aller Welt berichten und dann würde die Marine den Atombombenversuch verschieben und nach einem anderen Ort dafür suchen und die Dorfbewohner könnten wieder nach Bikini zurückkehren, das nicht atomar verseucht werden würde. Sorry war sich ganz sicher, dass sein Vorhaben gelingen würde, denn schließlich war es ja Abrams Idee.

Tara kam am Strand auf ihn zu. »Du hast das, was du mir neulich erzählt hast, also doch ernsthaft vor«, sagte sie.

Sorry, der gerade vor dem Kanu kniete und eine Stelle am Rumpf anpinselte, stand auf. »Sehr ernsthaft sogar.«

»Weiß denn deine Mutter davon? Oder dein Großvater? Wie steht es mit Häuptling Juda? Weiß der, was du vorhast?«

Sorry schüttelte den Kopf. »Sie werden es zusammen mit allen anderen erfahren.«

»Das ist verrückt, Sorry. Auch Abram hätte diesen Plan am Ende doch nicht wahr gemacht. Er hatte sich das doch nur ausgedacht, weil er so frustriert war.«

»Nein. Er war überzeugt davon, dass sein Plan funktioniert.«

»Sorry, denk noch einmal drüber nach, du bist doch sonst so ein kluger Kerl. Die Marine wird doch nicht den ganzen Versuch wegen eines einzigen roten Kanus in der Lagune abblasen. Denk bloß mal an die ganzen Schiffe! Und an die vielen Leute! So was kostet Millionen ...«

»Wir werden es schaffen, indem wir uns ihnen in den Weg stellen, genau wie Abram es geplant hat. Die Amerikaner werden die Atombombe nicht abwerfen können und die Zeitungen und das Radio werden darüber berichten. Und dann wird sich die Marine einen anderen Ort zum Testen suchen.«

Tara seufzte und schüttelte den Kopf. »Ich habe immer gedacht, du hättest mehr Grips im Kopf, Sorry. Und Abram wäre bestimmt der Erste, der dir diese Sache ausreden würde. Also tu es nicht ...«

»Mein Entschluss steht fest. Zwei oder drei Tage vor dem Versuch segle ich hier weg. Ich werde mich auf Lomlik verstecken und in der Nacht vor dem Abwurf segle ich dann in die Nähe der Zielboote. Wenn ich zehn Kilometer Abstand von der Nevada halte, bin ich in der sicheren Zone.«

»Wer hat das behauptet?«

»Dr. Garrison.«

»Wusste er, warum du diese Information von ihm wolltest?«

»Nein, das nicht«, gab Sorry zu.

»Ich finde, du solltest dein Vorhaben im Rat besprechen.«

»Das würde nichts bringen.«

Tara entfernte sich ein paar Schritte von Sorry, kam dann aber stirnrunzelnd zurück.

»Bist du dir wirklich sicher, dass Dr. Garrison meinte, du könntest unbeschadet bis zu zehn Kilometer an die Nevada herankommen?«

»Bei dem ersten Atombombenversuch haben sich Menschen jedenfalls in dieser Entfernung aufgehalten.«

Tara schüttelte den Kopf. »Das ist doch lächerlich.«

Sie schaute ihm noch einen Augenblick lang beim Pinseln zu, dann setzte sie sich auf den Rand des Kanus. »Warum bist du dir so sicher, dass die Piloten dich sehen werden?«

»Dr. Garrison hat gesagt, dass die Amerikaner hochpräzise Bombenzielgeräte haben. Außerdem werde ich eine von den japanischen Konservendosen so stark polieren, dass sie blinkt, wenn die Sonne draufscheint.«

»Ach, Sorry ...«

»Tara, mein Vater hätte es getan. Er war kein Feigling. Und ich bin auch keiner.«

Am 24. Juni, einem bewölkten Tag, drehte ein B-29-Bomber mit Namen »Daves Dream« einige Proberunden über den Zielschiffen. Dann warf das Flugzeug, das später auch die Bombe für die *Able*-Explosion transportieren sollte, eine harmlose Übungsbombe ab und traf damit die *Nevada* fast genau in der Mitte. Die *Able*-Bombe war ähnlich aufgebaut wie *Fat Man*, die Bombe, die Nagasaki verwüstet hatte. Sie war drei Meter lang und wog über viertausend Kilo. Auf dem Gehäuse der Bombe, die bald tonnenweise tödliches Plutonium über der friedlichen Lagune verteilen sollte, stand der Name »Gilda«. Das war eine Figur aus einem Hollywoodfilm, gespielt von der hübschen Schauspielerin Rita Hayworth.

14

Großvater Jonjen blies in seine Muschel und rief alle zu Taras allabendlicher Nachrichtenstunde zusammen.
»Die Bombe soll am ersten Juli um halb neun gezündet werden«, verkündete Tara.
Der Versuch war bereits zweimal aus unbekannten Gründen verschoben worden. Diesmal aber meldete das Radio der Streitkräfte, dass alle Zielschiffe mit den Versuchstieren an Bord nun auf ihren Positionen seien und die Bombe sich unter strenger Bewachung auf Kwajalein befinde.
Sorrys Puls beschleunigte sich.
»Wie groß ist diese Bombe?«, wollte Manoj Ijjirik wissen.
»Das weiß ich nicht«, antwortete Tara. »Im Radio hieß es nur, dass sie so groß ist, wie die von Nagasaki. Die nannten sie übrigens Fat Man.«
Fat Man – dicker Mann. Sorry sah auf einmal eine große, runde Bombe vor sich, die eine gigantische radioaktive Wolke ausspie.

Jetzt, Ende Juni, hatte die Regenzeit begonnen, die alle Bewohner der nördlichen Marshallinseln freudig begrüßten. Die Tropfen prasselten auf das neue Kirchendach.
Weil sie bei der Explosion gebraucht wurden, waren die auf Rongerik verbliebenen Amerikaner wieder auf ihre Schiffe zurückgekehrt. Bevor auch er sich auf den Weg machte, versicherte Lieutenant Hastings Tara noch einmal, dass sie auf Rongerik in Sicherheit seien. Und für den unwahrschein-

lichen Fall, dass die Plutoniumwolke doch auf sie zutreiben sollte, läge in der Lagune ein Landungsschiff bereit, das alle Anwohner in Sicherheit bringen würde.

Nachdem Tara die Nachrichten referiert hatte, stellten die Dorfbewohner ihr Fragen, die sie anhand ihrer schriftlichen Aufzeichnungen zu beantworten versuchte.

Würde man die Explosion der Bombe auf Rongerik hören? Tara wusste es nicht.

Würde man den Lichtblitz sehen? Sie wusste es nicht.

Würde die Wolke so aussehen wie andere Wolken auch? Tara konnte es nicht sagen.

Würde aus der Wolke Regen fallen? Auch das wusste Tara nicht.

Die Dorfbewohner stellten unmögliche Fragen. Nur wenige von ihnen hatten eine Ahnung, was Elektrizität war, und kaum jemand hatte jemals in seinem Leben telefoniert oder war in einem Auto gefahren. Nur ganz langsam wurde ihnen bewusst, wie massiv die Amerikaner in ihr Leben eingegriffen hatten.

Als niemand mehr eine Frage hatte, erhob sich Sorry und holte tief Luft. Dann sagte er mit fester Stimme: »Ich werde am Freitag nach Bikini zurücksegeln. Die Nacht auf Sonntag verbringe ich auf Lomlik und am Montag versuche ich dann bis auf zehn Kilometer an die Nevada heranzukommen. Ich hoffe, dass die Amerikaner mich sehen und den Atombombenversuch abblasen. Dass sie unsere Insel verschonen und nach einem anderen Ort Ausschau halten.«

Einen Augenblick lang herrschte Totenstille. Die Leute konnten nicht glauben, was sie soeben gehört hatten.

Mutter Rinamu sprang auf und sagte: »Nein, Sorry, das tust du nicht. Bist du denn völlig verrückt geworden?«

Leje Ijjirik ließ ein hohles Lachen hören. »Die werfen die

Bombe ab, ob sie dich nun sehen oder nicht. Von einem verrückten Jungen in einem roten Kanu lassen die sich nicht aufhalten.«

Häuptling Juda meinte: »Das klingt, als hätte sich Abram das ausgedacht. Die rote Farbe hast du von ihm, nicht wahr?«

»Ja und die Idee auch«, gab Sorry mit ruhiger Stimme zu.

»Das hätten wir uns ja denken können«, sagte Leje voller Abscheu.

Tara erhob sich und sagte: »Ich werde Sorry begleiten. Abram hatte Recht. Wir müssen gegen das, was auf Bikini passiert, protestieren.«

Sorry konnte es kaum glauben. Wollte Tara wirklich mitfahren?

»Zwei Verrückte ...«, sagte Leje.

Alle Augen waren jetzt auf Tara gerichtet, die aufstand und sich neben Sorry stellte.

Dann erhob sich auch Großvater Jonjen mit Hilfe seines krummen Stockes. »Ich fahre auch«, sagte er.

Manoj Ijjirik stand auf und fragte, wer in einem der großen Kanus ebenfalls mitfahren wolle.

Niemand meldete sich. Niemand sagte ein Wort.

Damit war Sorrys Vision vom ganzen Dorf, das nach Bikini segelte, gestorben. Er blickte in die hundertsechzig Gesichter, von denen viele die Stirn runzelten und ihn ungläubig anblickten, als wollten sie sagen: *Du bist ja verrückt, Sorry Rinamu!*

Tara war es, die den Bann schließlich brach. »Wir machen dem Riesen einfach eine lange Nase.« Sie hielt den Daumen ihrer rechten Hand an die Nase, wackelte mit den Fingern und rang den Dorfbewohnern damit ein Lachen ab.

Nach der Versammlung blieb eine ganze Reihe von Leuten noch da und redete mit Sorry, seiner Mutter, Tara und Jonjen. Alle wollten wissen, was mit ihrem Atoll geschah, aber niemand änderte seinen Entschluss und bot Sorry an, ihn zu begleiten.

Selbst Manoj Ijjirik wollte nicht in dem roten Kanu mitfahren.

»Warum kommst du mit?«, wollte Sorry später von Tara wissen. Er war immer noch überrascht über ihre Entscheidung.

»Weil ich glaube, dass jemand gegen die Bombe protestieren muss, so wie Abram es gesagt hat. Ich kann dich das nicht alleine machen lassen. Inzwischen glaube ich auch, dass die Aktion Erfolg haben wird. Ich bin sogar überzeugt davon.«

Dann fragte Sorry Jonjen, warum er mitfahren wollte.

»Es muss doch jemand dabei sein, der für euch betet.«

Am nächsten Morgen kamen fast alle an den Strand um sich das Kanu anzusehen. Viele wollten noch immer nicht recht glauben, wo es hinfahren und was es dort tun sollte.

Sorry wurde immer wieder dieselbe Frage gestellt: »Bist du dir denn wirklich sicher, dass die Amerikaner dich sehen werden?«, und Sorry beantwortete sie jedes Mal mit »Ja«.

Gegen Mittag ging Tara, begleitet von Sorry und Lokileni, ins Gemeinschaftshaus, wo das neue Radio stand. Sie warf den Generator an um Nachrichten zu hören und die Batterie aufzuladen.

Tara hörte eine Weile zu, dann sagte sie: »Die Amerikaner wollen alle Bewohner von Wotho und Eniwetok nach Kwajalein bringen für den Fall, dass der Wind aus einer ungünstigen Richtung weht.« Im Wetterbericht für die nördlichen Marshallinseln wurden für Freitag, Samstag und Sonntag Wolken und Regen angesagt. Die Dorfbewohner erwarteten, dass das Landungsschiff, das sie bei Bedarf in Sicherheit bringen sollte, am Sonntagabend einlaufen würde.

Sorry sagte: »Vielleicht können wir uns ja unbemerkt direkt in die Lagune schleichen.«

Auf der Fahrt von Rongerik nach Bikini wollte er ein normales, weißes Segel benutzen und erst auf Lomlik das rote aufziehen.

Die Zielschiffe lagen etwa sechs Kilometer vor dem Strand von Bikini ruhig vor Anker. In ihrer Mitte befanden sich neben der *Nevada* drei weitere Schlachtschiffe, die ihren ganz normalen, grauen Marineanstrich trugen: die *Pennsylvania*, die *New York* und die *Arkansas*. Dazu kamen die beiden Flugzeugträger *Saratoga* und *Independence*, die schon im Zentrum einiger wilder Luftschlachten gestanden hatten. An Beuteschiffen hatte man die *Nagato* herbeigeschafft, ein hässliches Schlachtschiff der Japaner, das wie eine fette Kröte im Wasser lag, sowie den eleganten deutschen Kreuzer *Prinz Eugen*, der als eines der besten Kriegsschiffe seiner Zeit galt. Im weiteren Umkreis ankerten noch viele weitere Schiffe, angeordnet wie die Speichen eines Wagenrades.

15

Je mehr die Dorfbewohner in den folgenden vier Tagen über Sorrys Vorhaben nachdachten und redeten, desto mehr wurde für sie diese Fahrt nach Bikini zu einer Heldentat, die so wagemutig war, dass sie im Grunde gar nicht fehlschlagen konnte. Durch sie würde die ganze Welt erfahren, dass es eine kleine Gruppe Menschen gab, die schutzlos der Willkür einer riesigen Nation ausgeliefert war.

Hier saßen sie nun auf dieser kleinen, von bösen Geistern heimgesuchten Insel und fühlten sich von den Amerikanern im Stich gelassen und um ihr Land betrogen. Alle glaubten sie nun, dass sie in wenigen Monaten verhungern würden, denn hier auf Rongerik konnten sie sich nicht ernähren. Sorrys Aktion war ihre – möglicherweise einzige – Möglichkeit die Stimme zu erheben und der Welt zu sagen: *Seht her! Seht euch an, was ihr uns angetan habt!*

Sorry hörte die Gespräche der anderen und fühlte sich in seinem Vorhaben bestärkt. Auch Mutter Rinamu stand inzwischen hinter ihrem Sohn und erinnerte alle voller Stolz daran, dass es ihr Sohn war, der die Bombe aufhalten würde. Selbst Leje Ijjirik hielt sich zurück.

Am Morgen des 28. Juni ging Sorry kurz nach Sonnenaufgang mit Lokileni den Strand entlang. Trotz aller Zustimmung von außen wurde Sorry von Zweifeln und Ängsten geplagt.

»Bist du immer noch sicher, dass du fahren willst?«, fragte Lokileni.

Ohne auch nur einen Augenblick zu zögern antwortete er: »Ja, Lokileni, das bin ich.«

»Ich habe Angst um dich«, sagte sie. »Was ist, wenn du zu nah an die Explosion herankommst ...?«

»Das werde ich nicht. Unser *jimman* wird mir sagen, wenn ich knapp zehn Kilometer entfernt bin.«

Sorry umarmte seine Schwester, und Lokileni ging zu den Frauen und Kindern um mit ihnen rote Hibiskusblüten zu pflücken. Sie wuchsen nur an einer einzigen Stelle am Strand, die viele für das einzig Schöne auf ganz Rongerik hielten. Die Frauen wollten einen Blütenpfad von der Kirche bis zum roten Kanu streuen.

Das Kanu war bereits mit gebratenem Thunfisch, geraspelter Kokosnuss und Frischwasser sowie einem Dutzend der von den Pionieren zurückgelassenen Ein-Mann-Rationen beladen. Außerdem waren Matten zum Sitzen und Schlafen an Bord und mit Leine und Haken wollten sich die drei auf der Überfahrt frischen Fisch fangen. Wenn der Wind ihnen gewogen war, würde die Reise nicht länger als zweiundsiebzig Stunden dauern.

Sorry verbrachte ein paar Minuten alleine mit seiner Mutter. Er umarmte sie und erklärte ihr, dass sie sich keine Sorgen zu machen brauche und dass er sie in einer knappen Woche wieder sehen werde. Sie lächelte ihn trotz der Tränen in ihren Augen tapfer an und sagte: »Pass auf dich auf.«

Dann gingen die Dorfbewohner alle zusammen in die Kirche. Großvater Jonjen las aus der Bibel und bat Gott, er möge seine Kinder beschützen, wenn diese die Weißen von ihrem Vorhaben abzubringen versuchten eine schreckliche Waffe über ihrer heimatlichen Lagune auszuprobieren.

Zum Schluss sangen sie gemeinsam »Amazing Grace« und wandten dabei die Gesichter gen Himmel.

Nach dem Gottesdienst gingen Sorry, Tara und Jonjen,

geschmückt mit Blütenkränzen und den Stirnbändern der Krieger, den mit Hibiskusblüten bestreuten Pfad hinunter zum Kanu. Genauso hatten es ihre Urahnen gemacht, wenn sie in ihren fünfzehn Meter langen Kanus mit Muscheläxten bewaffnet in den Krieg gezogen waren.

Die Dorfbewohner reihten sich zu beiden Seiten des Weges auf, klatschten in die Hände und wünschten ihnen alles Gute. Sogar Leje Ijjirik war gekommen und klatschte mit.

Die warme Morgensonne umgab Sorrys zuversichtliches Gesicht mit einem goldenen Schimmer. So stark und schön mussten auch die alten Anführer ausgesehen haben, als sie vor zweihundert Jahren zu fernen Ufern aufgebrochen waren.

Dann sagte man Lebewohl, Sorry zog das Lateinersegel auf und schob dann mit den anderen Männern zusammen das Kanu, in dem bereits Tara und Jonjen saßen, ins Wasser. Zum Schluss sprang auch er hinein.

Sorry strahlte übers ganze Gesicht, als er zwei Finger zum Siegeszeichen hob, so wie er es bei den Amerikanern gesehen hatte. Die Dorfbewohner winkten, bis das rote Kanu mit dem großen, weißen Segel die Enge von Bok passiert hatte und am Horizont verschwand.

Am 30. Juni kam von der *Mt. McKinley*, auf der man die Kommandozentrale eingerichtet hatte, das Signal: »Der erste Juli ist *Able*-Tag.« Minuten später liefen bei den Messstationen auf den Inseln und an Bord der Zielschiffe die letzten Vorbereitungen an. Die Schweine, Ziegen, Ratten und Mäuse befanden sich bereits auf ihren Positionen. Am späten Nachmittag verließen die meisten Versorgungsschiffe die Lagune und steuerten vorher festgelegte Warteplätze im Osten und Nordwesten des Atolls an. Einige wenige Schiffe blieben zurück und kontrollierten, dass sich auch wirklich kein Mensch mehr auf den Zielschiffen befand. Die *Mt. McKinley* hatte den Codenamen »Sadeyes« bekommen und der silberne Bomber *Dave's Dream* die Bezeichnung »Skylight One«.

16

Auf dem Weg nach Lomlik schützte eine dichte Wolkendecke das rote Kanu vor der Entdeckung aus der Luft. Das war gut so, denn Dutzende von Malen hörten die drei während ihrer Reise die Motoren von Flugzeugen und eines davon klang sogar so, als könne es jeden Augenblick die tief liegenden Wolken durchstoßen, aus denen ab und zu ein leichter Regen fiel.

»Was machen die da wohl?«, fragte Tara mit dem Bick nach oben.

Sorry hatte keine Ahnung.

Wenn die Wolken sich auflösten und ein Flugzeug sie entdeckte, würde man sie bestimmt zur Rückkehr zwingen. Im Radio war durchgesagt worden, dass in den nächsten drei Tagen kein Wasserfahrzeug näher als 240 Kilometer an Bikini heranfahren dürfe.

Sorry hielt sich nördlich des Atolls und machte als Erstes Nam aus, dann Worik, und als am Sonntag die Sonne unterging, erschien die lang gestreckte Insel Lomlik am Horizont.

Bereits am Nachmittag hatte sich die Wolkendecke mehr und mehr gelichtet und in der Abenddämmerung erreichten Sorry, Tara und Jonjen ihr Heimatatoll.

Bikini war zwar nur als Klecks am Horizont zu erkennen, doch selbst im schwachen Licht der Abenddämmerung bemerkten die drei, dass sich die Lagune völlig verändert hatte. In weiter Entfernung sahen sie die mächtigen Umrisse der dort verankerten Flugzeugträger und Schlachtschiffe.

Die meisten der »lebendigen« Schiffe hatten inzwischen die Lagune verlassen, sodass nur noch die dem Tod geweihten Rümpfe, viele von ihnen mit Versuchstieren an Bord, darauf warteten, dass die Nacht vorüberging. Auf Lomlik hatten die Amerikaner einen Turm mit einem großen Instrument an der Spitze errichtet, das auf die Flotte der Zielschiffe gerichtet war. Als sie sich seinen stählernen Beinen näherten, überkam Sorry ein unheimliches Gefühl. Im letzten Licht des Tages wirkte der Turm hässlich und böse.

Sorry war schon oft auf Lomlik gewesen um dort Kokosnüsse zu pflücken und Jonjen natürlich noch viel öfter. Jonjen sah sich um und meinte: »Die Weißen machen alles kaputt, was sie in die Finger kriegen.«

Sie waren wieder zu Hause – und gleichzeitig waren sie es nicht. Denn diese Inseln waren kein Zuhause mehr für sie, ebenso wenig wie die Lagune noch dieselbe war, in der Sorry aufgewachsen war. Sie war jetzt ein fremdes Gewässer unter fremder Flagge. Von Lomlik aus konnten sie zwar keine Veränderung auf Bikini erkennen – dazu war ihre Insel zu weit entfernt und das Licht zu schlecht –, aber auch so wussten sie, dass sich dort alles verändert hatte. Die wunderschöne Lagune hatte für sie ein feindseliges Gepräge, jetzt, wo riesige Kriegsschiffe die Auslegerkanus ersetzt hatten.

Sie sprachen kaum miteinander. Es gab nicht viel zu reden. Was sollte man auch schon über die Bombe sagen oder über das Flugzeug, das morgen früh mit einem *Fat Man* im Bauch hier aufkreuzen würde?

Sie aßen ein wenig von der amerikanischen Kampfverpflegung und kurz bevor sie sich zum Schlafen legten, fragte Sorry: »Wollt ihr immer noch mitmachen? Falls nicht, solltet ihr morgen früh zum Strand am Barriereriff gehen. Wenn ich die Bombe nicht aufhalten kann, dann seid ihr dort vermutlich in Sicherheit.«

»Wir bleiben bei dir, Sorry«, antwortete Tara.

»Ich habe nicht die ganze Fahrt bis hierher mitgemacht um mich an den Strand am Barriereriff zu setzen«, sagte Jonjen.

»Ich möchte kurz nach Mitternacht aufbrechen und hinüber zu den Zielschiffen fahren«, erklärte Sorry.

Sie streckten sich auf ihren Matten aus und schon kurz darauf hörte man Großvater Jonjen, der offenbar mit sich und der Welt zufrieden war, so selig schnarchen, wie er es immer unter freiem Himmel tat.

Sorry und Tara konnten nicht schlafen.

»In dem Jahr, als der Wirbelsturm kam, war ich sieben«, sagte Sorry. »Am Aussehen des Himmels, an der Art des Windes und am Geschmack der Luft hatten die alten Männer wie Jonjen längst erkannt, was auf uns zukam. Die Vögel flogen fort und sogar die Fische verzogen sich in die Tiefe. Jonjen hatte mir schon einiges über Wirbelstürme erzählt und deshalb hatte ich solche Angst, dass ich kaum sprechen konnte. Als es dann so weit war, wurde es erst völlig still. Kein Windhauch regte sich. Und dann brach der Sturm auf einmal über uns herein, jagte uns in die Wipfel der Palmen und zerstörte unser Dorf. Jetzt fühle ich mich genau so wie damals vor dem Sturm, Tara. Es ist so ruhig hier und die Lagune ist so schwarz.«

Nach einer Weile sagte Tara: »Gestern ist mir durch den Kopf gegangen, dass wir eigentlich zu jung zum Sterben sind. Warum machen wir das überhaupt? Auf dem Weg hierher hätte ich dich fast gebeten wieder umzukehren. Aber dann musste ich daran denken, was Abram an unserer Stelle getan hätte. Er hätte weitergemacht, ganz sicher, und er hätte der Navy gezeigt, was eine Harke ist.«

»Ja, so ging's mir auch, als ich dachte, gleich würde ein Flugzeug aus den Wolken kommen. Abram hätte weitergemacht. Und jetzt haben wir den ganzen Weg bis hierher geschafft und müssen morgen früh dort hinaus und hoffen, dass die Piloten uns sehen werden ...«

Schließlich nickte Sorry doch noch ein.

Gegen zwei Uhr weckte er Tara und Jonjen und sagte: »Wir müssen das rote Segel setzen.«

Sie brauchten etwa zehn Minuten dafür.

Dann aßen sie noch einmal von ihren Vorräten und waren schließlich zum Aufbruch bereit. Tara und Großvater Jonjen kletterten ins Kanu.

Sorry schob das Boot ins Wasser und mit einer leichten Brise segelten sie durch die pechschwarze Nacht nach Süden, auf die Zielschiffe zu.

Keiner sagte ein Wort, weil sie Angst hatten, die elektronischen Ohren der Weißen könnten sie hören. Von diesen Ohren hatte ihnen Dr. Garrison erzählt.

Buch III

Die Bombe

Am 1. Juli um 5 Uhr 43 rollte Dave's Dream, *der Bomber mit der Atombombe im Bauch, langsam auf die Startbahn des Flugplatzes Kwajalein zu. Seine vier Motoren liefen seidenweich. Als Pilot Woodrow Swancutt Gas gab, steigerte sich ihr Geräusch zu einem lauten Brüllen. Ein paar Minuten blieb* Dave's Dream *vibrierend am Anfang der Startbahn stehen, während die Besatzung des Bombers noch einmal sämtliche Instrumente überprüfte. Dann wurden die Bremsen gelöst. Das Flugzeug nahm Fahrt auf, wurde schneller und schneller und hob schließlich vom Boden ab.*

Als der Morgen dämmerte, versteckten sich die drei mit ihrem Kanu hinter dem Heck eines gespenstisch leeren Landungsschiffes, das etwa fünf Kilometer von Bikini entfernt und nördlich der Nevada vor Anker lag. An dieser Stelle war Sorry früher oft beim Fischen gewesen.

Als die Sonne langsam in den leicht bewölkten Himmel stieg, mussten sie zu ihrem Entsetzen feststellen, dass das südliche Ende von Bikini überhaupt keine Ähnlichkeit mehr mit ihrem Zuhause hatte. Schon von weitem war zu sehen, dass die Navy noch weitere hohe Stahltürme und eine große Anzahl von Gebäuden errichtet hatte. Nur hier und da hatte sie ein paar Palmen stehen lassen. Es war schwer zu begreifen, dass innerhalb von nur fünf Monaten so viele Veränderungen vor sich gegangen waren. Großvater Jonjen starrte die Insel an, als sei dort der Teufel selbst am Werk gewesen.

Tara wandte sich ab und flüsterte: »Ist euch klar, dass wir die einzigen Menschen weit und breit sind?«

Als Taras Armbanduhr kurz nach acht zeigte, tauchten am Himmel plötzlich verschiedene Flugzeuge auf: Bomber, Jäger und Wasserflugzeuge. Sorry hatte keine Ahnung, was sie hier wollten. Manche flogen so tief, dass die drei in ihrem Kanu sich zusammenkauerten und hofften, dass sie nicht jetzt schon entdeckt wurden.

»Sie brauchen nur mit einem Wasserflugzeug zu landen und uns aus unserem Kanu zu zerren«, flüsterte Sorry.

Er hatte vor, kurz vor dem angekündigten Abwurf der Bombe das rote Segel zu setzen und dann einen nördlichen Kurs zu segeln, der sie weg von der *Nevada* brachte. Er machte sich ein wenig Sorgen wegen des Windes.

»Werden wir denn auch wirklich zehn Kilometer vom Explosionspunkt entfernt sein?«, fragte Tara.

Sorry nickte »Ich hoffe schon.«

Großvater Jonjen bot Sorry an, die Entfernung zu dem großen Zielschiff zu schätzen, das sich mit seinem orangeroten Anstrich deutlich von den anderen abhob. Dann wolle er warten, bis der Bomber im Anflug war, und mit seinen Gebeten beginnen.

»Aber sieh zu, dass du dich nicht verschätzt«, sagte Sorry. Der Abstand von zehn Kilometern durfte nicht unterschritten werden.

Als die Flugzeuge wieder verschwunden waren, hörten die drei ein leises Geräusch am Himmel. Sie blickten hinauf und sahen einen silbernen Bomber in der Sonne blitzen.

»Ich glaube, das ist er«, sagte Sorry.

Dave's Dream *erreichte die Lagune um 8 Uhr 26.* »Hier ist Skylight One. Noch zehn Minuten bis zum ersten simulierten Bombenabwurf. Ich wiederhole: Noch zehn Minuten bis zum ersten simulierten Bombenabwurf. Erster Probeanflug.«

Sorry und Tara zogen das rote Segel hoch. Der Wind blies hinein und blähte es. Sorry steuerte einen neuen Kurs nach Norden und beobachtete dabei angestrengt den Himmel. »Erinnert ihr euch noch, was das Radio gesagt hat?«, fragte er. »Der Bomber wird zuerst ein paar Probeanflüge machen. Vielleicht sieht er uns ja schon bei einem davon.«

Und zu Großvater Jonjen sagte er: »Bitte sag mir, wenn du glaubst, dass wir zehn Kilometer von der Nevada entfernt sind.«

Der Wind war nicht günstig.

»Hier ist Skylight One. *Noch fünf Minuten bis zum Abwurf der Bombe. Ich wiederhole: Noch fünf Minuten bis zum Abwurf der Bombe ...«*

Sorry sagte zu Tara: »Nimm die polierte Konservenbüchse und blinke den Bomber damit an. Das können die da oben auf keinen Fall übersehen.«
Inzwischen war es schon nach halb neun.
Während er darauf wartete, dass etwas geschah, musste Sorry an die nichts ahnenden Tiere denken, an die Ziegen und die Schweine, die man rasiert und mit Brandschutzsalbe eingerieben hatte. Er dachte an weiße Mäuse, weiße Blutzellen und Leukämie und an die Fische, die vielleicht im Dunkeln leuchten würden ...

»Skylight One. Skylight One. *Noch zwei Minuten bis zum Abwurf der Bombe. Ich wiederhole: Noch zwei Minuten bis zum Abwurf der Bombe. Schutzbrillen aufsetzen. Sofort Schutzbrillen aufsetzen.*«

Tara sah hinauf zu dem Bomber, dessen silberner Rumpf vor dem Blau des Himmels im Licht der Sonne blitzte. »Schaut herunter zu uns, bitte, schaut doch endlich herunter zu uns ...«

Auf dem Schlachtschiff USS Pennsylvania *hatte man vor einem Mikrofon ein Metronom installiert, sodass die ganze Welt die Sekunden mitzählen konnte.* Tock, tock, tock, tock, tock ...

Urplötzlich wurde Sorry bewusst, wie verrückt ihr Vorhaben war, wie verrückt der Ort war, an dem sie sich aufhielten, und wie verrückt es war, darauf zu vertrauen, dass Jonjen für einen sicheren Abstand von der Explosion sorgen würde.

Die Piloten dort oben würden nur die USS *Nevada* im Blick haben.

Und sonst nichts!

Ganz bestimmt würden sie nicht das kleine rote Kanu sehen, das langsam nach Norden segelte.

Das Ganze war Wahnsinn!

Sie waren verrückt. Alle drei in ihrem lächerlichen Kanu waren verrückt.

Großvater Jonjen hielt seine Bibel in Händen und betete mit geschlossenen Augen. Sorry und Tara standen auf, blickten hinauf zu dem glänzenden Flugzeug und beteten ebenfalls.

Jetzt konnte nur noch Gott alleine sie retten.

»Skylight One. *Nähern uns dem Abwurfpunkt. Alles bereit zum Abwurf! Alles bereit zum Abwurf! Achtung! ... Bombe los ! Bombe los. Bombe los ...*«

Ein Licht, so hell wie eine Million Sonnen blitzte über der Lagune auf. Gleich darauf ertönte ein donnernder Knall, der so laut war, dass er Trommelfelle zum Platzen brachte. Einen Augenblick später wirkten Sorry, Tara und Jonjen so, als sei ihre Haut aus flüssigem Glas.

Aus dem Zentrum der Zielschiffe stieg ein gewaltiger, roter Feuerball auf, dessen Farbe gleich darauf in ein helles, von leuchtend weißen Streifen durchzogenes Rosa überging. Der Ball schwoll rasch an und sah aus wie eine Blume des Bösen, eine riesige, hellrosa Rose mit einem weißen Stängel, der in Sekundenschnelle immer größer wurde und sich dann zu einer gigantischen Eistüte verformte.

Zu einem weißen Blumenkohl.

Zum weißen Tod.

Die Tiere auf den Schiffen hatten keine Zeit mehr zu schreien.

Die Hitzewelle fuhr wie ein glühender Höllenwind in das rote Segel, wirbelte es herum wie einen losgerissenen Kinderdrachen und jagte das Kanu über das Wasser, als wäre es ein winziges Stückchen Balsaholz.

Einen Augenblick später rauschte eine drei Meter hohe Flutwelle über die Lagune. Sie schleuderte das Kanu hoch in die Luft und ließ es wieder ins Wasser zurückfallen.

Die Welle wurde begleitet von einem feuchten, zischenden Geräusch.

Danach senkte sich eine totale Stille über die Lagune.

Die Energie der *Able*-Bombe war verbraucht. Sie hatte all ihr Gift ausgespuckt.

Das Sterben aber, das sie verursachen sollte, fing nun erst an.

Was dann geschah

Die Explosion dauerte nur ein paar Millionstel Sekunden. Bereits kurz danach begannen unbemannte, mit Geigerzählern ausgestattete Flugzeuge mit ihren Messflügen über dem Atoll. Als nächstes machten sich ferngesteuerte Schiffe auf den Weg. Ebenfalls mit Geigerzählern ausgerüstet, schlängelten sie sich zwischen den Zielschiffen hindurch, von denen einige gesunken, schwer beschädigt oder in Brand geraten waren. Die meisten jedoch wirkten noch vollkommen intakt. Erst einige Stunden nach der Explosion wagten sich die ersten bemannten Schiffe wieder in die Lagune. Die Männer an Bord lauschten gebannt dem Knistern ihrer Geigerzähler.

Etwa zehn Prozent der Tiere waren sofort verendet. Andere gingen langsam an den Folgen der Radioaktivität ein. Und wieder andere konnten niemals mehr Junge bekommen. An Bord des Arche-Noah-Schiffs spielte sich eine herzzerreißende Szene ab, als eine rasierte, strahlenverseuchte Ziege für eine Bluttransfusion auf den Operationstisch geschnallt wurde.

Mitte Juli des darauffolgenden Jahres war die Nahrungsmittelversorgung auf Rongerik so schlecht, dass die Dorfbewohner die Palmen fällten um die Palmherzen zu essen. Von dem mageren Fischfang allein wurden sie nicht mehr satt. Im Februar 1948 ernährten sie sich nur noch von einem Brei aus Kokosnussfleisch, Kokosnussmilch, Mehl und Wasser aus der Zisterne. Die Marine musste Notrationen herbeischaffen. Schließlich wurden die Dorfbewohner für sieben Monate nach Kwajalein gebracht, während Häuptling Juda und die anderen *alabs* sich auf die Suche nach einer anderen Insel machten, auf der sie bleiben konnten.

Sie entschieden sich für die 720 Kilometer entfernte Insel Kili, die über eigene Quellen, schöne Palmen, Brotfruchtbäume und sogar Bananenstauden verfügte, aber weder eine Lagune noch einen Hafen hatte. Die Insel war vollständig von Barriereriffen umgeben und an vielen Tagen konnten nicht einmal kleine Boote dort landen. Auch heute, mehr als fünfzig Jahre nach der *Able*-Explosion, leben hier noch mehr als sechshundert Nachkommen der von der Atombombe vertriebenen Menschen von Bikini. Sie fristen ein isoliertes Dasein und blicken einer düsteren Zukunft entgegen.

Dabei hatte im Jahr 1969 der amerikanische Präsident Lyndon B. Johnson verkündet, dass das Bikini-Atoll wieder für die menschliche Besiedlung zugänglich sei und dass die Vereinigten Staaten kein weiteres Interesse daran hätten. Kurz darauf fuhr eine Gruppe von Kili nach Bikini. Schon bei ihrer Ankunft in der Lagune waren die Männer entsetzt über den Zustand der Inseln. Ein *alab* sagte mit Tränen in den Augen zu einem der begleitenden Regierungsbeamten: »Was habt ihr uns bloß angetan?«

Fast alle Palmen waren verschwunden. Der Wind pfiff durch die leeren Fenster dachloser Ruinen, und überall auf den Inseln lag Gerümpel, Abfall und Unrat herum. Wo man auch hinblickte, fand man geborstene Betonfundamente, leere Ölfässer und vor sich hinrostende Lastwägen, Kräne und Stahlgittertürme: Das amerikanische Verteidigungsministerium hatte aus dem Atoll eine Müllhalde gemacht.

Einige seiner ursprünglichen Bewohner, darunter auch ein paar Männer aus der Familie Rinamu, wurden dazu ausersehen, Bikini wieder bewohnbar zu machen und der Insel bei ihrer Auferstehung nach dem Atomtod behilflich zu sein. Sie räumten den Müll weg und begannen wieder auf Bikini zu leben. Fast zehn Jahre verbrachten sie dort, bis die Ärzte feststellten, dass sie sich mit Cäsium 137 vergiftet hatten, einem radioaktiven Element, das aus dem verseuchten Sand kam. Ein weiteres Mal war den Behörden in Washington D.C. ein schrecklicher Fehler unterlaufen.

Seit April 1995 dürfen nun Sporttaucher die Wracks der Zielschiffe auf dem Grund der Lagune besuchen, aber die Insel selbst gilt immer noch als verseucht.

Die inzwischen erwachsenen Kinder und Enkel der umgesiedelten Bevölkerung von Bikini leben immer noch auf den Marshallinseln. Die meisten von ihnen findet man auf Kili, aber auch auf anderen Inseln, ebenso wie auf Hawaii, in Kalifornien und in Nevada.

Einige der Älteren träumen immer noch von dem Bikini-Atoll, wie sie es als Kinder gekannt hatten. Sie haben sogar ein eigenes Wort dafür: *lamoren*. Das Land der Vorfahren.

Anmerkung des Autors

Im Jahr 1946 habe ich als Decksoffizier auf der USS *Sumner* gedient und habe mitgeholfen die Lagune von Bikini nach Korallenfelsen abzusuchen. Ein paar Tage nach der Evakuierung der Bevölkerung ging ich an Land und sah mir mit einer Mischung aus Trauer und Schuldgefühl die Reste des ehemaligen Dorfes an. Dort fand ich eine schmutzige Stoffpuppe, die aufrecht an der Wand eines verlassenen Gebäudes lehnte. Zuerst wollte ich sie mitnehmen, dann aber entschied ich mich dagegen. Die Puppe wurde zur »Leilang« in diesem Roman.

Ich fühle mich der U.S. Navy noch immer sehr verbunden, aber ich weiß auch, dass die *Operation Crossroads* nur wenig neue Informationen über die Zerstörungskraft atomarer Waffen geliefert hat. Dafür aber hat sie viel Leid über die zu Unrecht aus ihrer Heimat vertriebenen Bewohner von Bikini gebracht. Das Elend dieser Menschen, die immer wieder zu Opfern falscher Versprechungen wurden, ist eine beschämende und bis heute andauernde Geschichte. Alles in allem wurden über zwanzig Atom- und Wasserstoffbomben auf dem Bikini-Atoll getestet, bevor es seinen rechtmäßigen Besitzern wieder zurückgegeben wurde.

Ich danke Que Keju von den Marshallinseln für seine Hilfe mit seiner Muttersprache und meiner Autorenkollegin Mel Galal Kernahan, die eine Expertin für Mikronesien ist, für ihre Hilfe bei den Recherchen zu diesem Buch.

– T.T.

Ein Nachwort von Greenpeace

1995, also gut 50 Jahre nach den Ereignissen, die in diesem Buch beschrieben werden, passiert, was kaum jemand noch für möglich gehalten hat: Der französische Staatspräsident Jaques Chirac erklärt gegenüber der Welt, Frankreich werde eine Serie von unterirdischen Atomtests auf den Südseeatollen Mururoa und Fangataufa durchführen um eine neue Generation von Atomwaffen zu entwickeln. Der »Kalte Krieg« war längst vorbei und viele Menschen fragten sich, wozu denn jetzt noch Atombomben testen, wenn die vermeintliche Bedrohung aus dem Osten doch vorüber ist? Haben denn außerdem die schrecklichen Ereignisse der Atombombenabwürfe auf die japanischen Städte Hiroshima und Nagasaki nicht deulich genug gezeigt, dass man diese »Waffe der Abschreckung« nicht einsetzen kann ohne die nachfolgenden Generationen und die Umwelt auf Dauer zu schädigen? Noch heute werden in den beiden japanischen Städten missgebildete Kinder zur Welt gebracht. Noch heute sind einige Inseln im Südpazifik nicht bewohnbar. Noch heute sind Wüstenabschnitte im Testgebiet der USA Sperrgebiet, weil sie radioaktiv verseucht sind.

Die Uuguren, Ureinwohner aus dem Nordwesten Chinas, die in den Abwindgebieten des chinesischen Testgebietes Lop Nor leben, berichten von auffällig vielen Krebserkrankungen und -toten, von missgebildeten Kindern und von anderen eigenartigen Krankheiten. Die Menschen im damals sowjetischen Kasachstan bekamen die radioaktiven Wolken gleich von zwei Seiten: von Norden aus dem russischen Atomtestgebiet Semipalatinsk und aus dem Osten von Lop Nor. Der Nordosten Kasachstans gilt seitdem als das am stärksten radioaktiv belastete Land auf der Erde.

Hat die Menschheit aus den Erfahrungen der oberirdischen Atomtests (die US-Amerikaner führen die beiden todbringenden Atombomben auf die japanischen Städte in ihren Statistiken auch als Tests!) nicht gelernt, dass die Folgen der Radioaktivität nicht kontrollierbar sind? Bestimmte radioaktive Spaltprodukte, vor allem das gefährliche Plutonium, verlieren erst nach 24.000 Jahren die Hälfte ihrer Strahlung. Ein unvorstellbarer Zeitraum, bedenkt man, dass die alten Ägypter 3000 Jahre vor Christus die Hieroglyphenschrift erfanden. Das ist gerade 5000 Jahre her.

Jeder Mensch auf diesem Planeten atmet inzwischen radioaktive Spaltprodukte ein, die aus den oberirdischen Atomtest der 50er-, 60er- und 70er-Jahre stammen. Auf der ganzen Welt haben sich die Spaltprodukte der Atombombenversuche verteilt und sind an jedem Fleck der Erde in der Luft und im Wasser nachweisbar. Den Atomwaffen-Fallout, wie es in der Fachsprache für »radioaktiven Niederschlag« heißt, rechnen die Wissenschaftler inzwischen zu der so genannten »natürlichen Hintergrundstrahlung« hinzu. Der Begriff »natürliche Hintergrundstrahlung« gilt aber eigentlich nur für die radioaktive Strahlung, die auch ohne den Menschen sowieso auf der Erde vorhanden ist. Auch das radioaktive Spaltmaterial, das durch die Reaktorkatastrophe von Tschernobyl 1986 frei geworden ist, wird ohne Probleme noch in Jahrzehnten in der Atmosphäre nachweisbar sein. Das gilt heute alles schon fast als natürlich.

Doch neben diesen ökologischen Folgen, also den Auswirkungen, die direkt die Umwelt und die Gesundheit der Menschen betreffen, gibt es auch politische Probleme, die der Bau
von Atomwaffen nach sich zieht.

Nachdem die Franzosen gegen den erbitterten Widerstand
der Menschen in der Südsee sowie vieler anderer Staaten und
politisch aktiver Gruppen (darunter Greenpeace) ihre Atom-
testserie im Januar 1996 durchgesetzt und durchgeführt
haben, war es nur eine Frage der Zeit, wann andere Länder
dem französischen Beispiel folgen und gegen alle ökologische
und politische Vernunft eigene Atombomben testen und
bauen würden.

Denn was die französische Regierung mit ihrer Testserie der
Welt vor Augen führte, war ihr Verständnis darüber, dass
Atomwaffen in der Zukunft weiterhin eine wichtige politische
und militärische Rolle spielen sollten. Niemand dachte und
denkt also in Wahrheit daran, diese Waffen, mit der sich
die Menschheit gleich ein paar hundert Mal umbringen kann,
zu verbannen oder deren Besitz oder deren Produktion zu
verbieten. Zwar gibt es internationale Verträge, die den
Besitz dieser Waffen regeln sollen – wie den so genannten
Atomwaffensperrvertrag, demzufolge die Unterzeichner-
staaten den USA, Russland, Frankreich, Großbritannien und
China zubilligen diese Waffen zu besitzen, und es gibt den so
genannten Atomteststoppvertrag, der aber so vage formu-
liert ist, dass ihn jedes Land nach seinen eigenen Vorstellun-
gen interpretiert. Doch trotz der Verträge machen die politisch mächtigen Staaten, was sie wollen; und so setzen auch
die USA und China trotz Atomteststoppvertrag in diesem
Jahrzehnt munter ihre Testreihen fort. Wen wundert es also,
wenn sich plötzlich auch Indien und Pakistan zu dem Klub der
»Großen Fünf« gesellen und ihre Atombomben ohne Rück-

sicht auf Ökologie und politische Gefahren testen. Dass damit das bisher geltende internationale Gleichgewicht auf den Kopf gestellt wird, haben sich also nicht zuletzt die USA, China und Frankreich zuzuschreiben.

Wenn auch heute durch das Testen von Atombomben die Umwelt nicht mehr so rücksichtslos gefährdet wird wie früher, so bleibt die politische Gefahr der Weiterverarbeitung von Spaltmaterial zum Zweck des Atomwaffenbaus bestehen. Statt laut für jeden sichtbar, wird heute in geheimen Labors getestet, die Bomben werden per Computersimulation gezündet. Auf diese Weise werden Atombomben modernisiert, ohne dass die Öffentlichtlichkeit überhaupt etwas mitbekommt. Die Bomben werden kompakter und ihre Sprengkraft wird genauer kalkuliert, ihr Wirkungsgrad lässt sich heute exakter bestimmen als bei den großen Bomben der 50er- und 60er-Jahre. Aber damit wird ihr militärischer Einsatz auch wahrscheinlicher und die Gefahr, dass in einem regionalen Krieg (z.B. zwischen Pakistan und Indien) tatsächlich Atombomben zum Einsatz kommen, steigt enorm.

Es bleibt für uns alle also noch eine Menge zu tun um diesen Wahnsinn vielleicht doch noch irgendwann zu stoppen.

Michael Kühn   Greenpeace e. V., Deutschland